Scripto

Paule du Bouchet

Je vous écrirai

Gallimard

Première partie

MALIA

Septembre 1955.

Malia était un peu perdue. Elle s'était assise sur le lit et restait immobile, ne sachant que faire d'elle-même. Vide de Gisèle, le logement paraissait froid et étranger.

Elle avait posé sa petite valise en cuir bouilli sur une chaise et s'était mise à attendre, comme si attendre était une action. Une contenance qui aurait animé le désert de ces deux pièces terriblement hostiles. Comme si faire autre chose que ne pas bouger risquait de réveiller quelque puissance maléfique, tapie dans l'ombre.

D'un coup, sa nouvelle vie l'écrasait, se dressait devant elle de toute sa hauteur. Et en même temps un sentiment nouveau, de grande solitude, d'abandon et de peur devant l'inconnu. Dieu sait pourtant qu'elle l'avait voulue, cette vie-là, et combien elle en avait rêvé. Simplement, elle n'avait pas prévu que les choses commenceraient ainsi, dans le silence.

Gisèle aurait dû l'attendre. Elle avait écrit qu'elle serait là. À son arrivée rue Guisarde, la concierge l'avait hélée dans le couloir :

– Vous êtes Malia ? Mademoiselle Gisèle a laissé la clef pour vous. Elle a dit que vous vous installiez.

Et de la loge, une odeur fétide, de vieux chat et de renfermé, l'avait désagréablement assaillie. Elle avait pensé à sa mère. Une fois montée, elle s'était assise et avait été prise de cette immobilité paralysante.

Elle attendit un long moment, décida finalement de sortir en emportant la clef, n'osa pas fermer la porte à double tour de crainte de ne pas savoir la rouvrir. Dehors, l'air était étouffant. Il avait fait très chaud tout l'été. Place Saint-Sulpice, les marronniers étaient déjà grillés. Malia s'assit sur un banc côté rue des Canettes, n'osant traverser vers la fontaine. Les rues étaient passantes, trop de voitures, beaucoup de monde. Le genre de monde que Malia ne connaissait pas. Des femmes à robes fleuries, tailles ceinturées, avec d'élégants sacs à main, des hommes tête nue, à larges pantalons de flanelle, marchant d'un pas élastique, aisé. Des couples enlacés, vibrant d'amour et de soleil, s'embrassant en public sans aucune gêne. D'autres visages que ceux auxquels elle était habituée depuis l'enfance. L'autobus 63 marqua l'arrêt devant le *Café de la Mairie,* Malia regarda les gens descendre et monter, le receveur tira sur la chaîne, la sonnette tinta deux fois et l'autobus démarra lourdement, en ronflant de tout son capot bronchiteux. 3 h 40, elle décida d'attendre encore, jusqu'à 4 heures.

Elle était bien venue deux ans auparavant à Paris, en sortie scolaire. On avait visité la tour Eiffel et vu toute la ville depuis le premier étage. Grisant et effrayant. Mais on était haut, Paris semblait loin et petit comme le jeu de Monopoly auquel Gisèle l'avait un jour initiée, il y avait des années de cela, du temps de Chartres. Aujourd'hui, ce n'était plus le petit Paris qu'on peut embrasser d'un regard, qui émeut comme un enfant par son innocence. C'était un monstre, une bête tentaculaire et envahissante. Elle était revenue une autre fois, aussi, juste avant l'été avec sa mère, pour voir le logement et le quartier. Elles avaient pris l'autobus 21 à la gare du Luxembourg et visité la Samaritaine. Angèle avait acheté un flacon d'eau de Cologne pour Gisèle, pour remercier. Malia avait été plus effrayée par le monde qu'émerveillée, comme sa mère, par la traversée du Pont-Neuf au soleil, la circulation des péniches et la statue d'Henri IV qu'elle avait pourtant trouvée grise et sale. Gisèle les attendait comme convenu dans le square du Vert-Galant. Pour y descendre, il fallait emprunter un escalier raide et encaissé qui sentait l'urine. Malia s'était sentie mal à l'aise. Angèle ne cessait de commenter tout ce qu'elle découvrait, ça l'avait irritée, la pensée lui était venue que sa mère était « province », et elle gardait une impression désagréable de cette première visite à l'appartement de la rue Guisarde. C'était un deuxième étage donnant sur la rue et sur une cour minuscule, juste assez grande pour loger deux jardinières d'impatiens blanches qui ne l'éclairaient guère pour autant. Malia avait trouvé les rues étroites et malodorantes, rue Dauphine, des poubelles en tôle débordantes, des tas de détritus dans le caniveau, rue Princesse, des clochards avinés, des façades miteuses, du linge aux fenêtres, qui ne collaient pas avec le nom de la rue. Rue Grégoire-de-Tours, il y avait des bars louches, des restaurants trop bruyants, des hommes et des femmes au regard effronté qui lui faisaient baisser les yeux. Malia était restée silencieuse et tendue. Gisèle avait servi du sirop de menthe et des gâteaux secs, elle avait fait mine de ne s'apercevoir de rien et Malia lui en avait su gré.

Ensuite, Malia avait passé l'été à se demander si sa décision de quitter Bures-sur-Yvette, la maison de ses parents, de faire des études, d'accepter la proposition de Gisèle d'habiter toutes les deux ensemble dans le petit appartement prêté par sa tante à Paris, était la bonne. Si elle serait « à la hauteur », assez forte, assez mûre. Contre les émotions, les inquiétudes qui l'assaillaient, elle avait mobilisé toute sa raison, toutes les raisons. Oui, il fallait partir, quitter Bures, étudier puisque c'était dans l'étude que quelque chose en elle s'apaisait. Puisque, il fallait bien le reconnaître, lorsqu'elle lisait, écrivait, réfléchissait, elle se sentait bien, tellement mieux que nulle part ailleurs. Tellement mieux que dans sa chambre de jeune fille, à Bures. Au demeurant si peu sa chambre, cette chambre arrangée par sa mère pendant toutes ces années de pension où Angèle n'avait fait que décorer selon son goût un lieu vide d'elle, de Malia. Avec des napperons au crochet, des bibelots de foire, des montagnes de coussins brodés de cœurs, aux couleurs criardes. Et des cadres tarabiscotés contenant des photographies de Malia enfant, à 2 ans, 3 ans, 4 ans, et ainsi de suite jusqu'à 10. La veille de ses 11 ans, Malia, contrainte malgré un refus énergique, d'aller quand même chez le photographe qu'on surnommait, Dieu sait pourquoi, « Belphégor », avait fait de telles grimaces devant l'objectif qu'aucune photo n'avait été utilisable. Le rite annuel avait été abandonné à la grande tristesse d'Angèle. Sur le mur tapissé de papier peint façon « Grand Siècle », version bon marché, il y avait donc neuf fois Malia. Neuf portraits de petite fille modèle. Neuf de trop, pensait Malia.

Quand elle arrivait de la pension chez ses parents, le samedi après-midi, cette chambre lui semblait occupée par un fantôme, entièrement créée par sa mère. Un fantôme de fille qui n'était pas elle, Malia. Elle était soulagée de repartir pour Palaiseau le dimanche soir et de retrouver l'anonymat rassurant des Petits Oiseaux, pleins de jeunes filles « comme il faut », qui ne lui ressemblaient pas forcément, mais qui parfois lui paraissaient moins étrangères que son propre foyer.

Ce premier été après le baccalauréat de philosophie, elle le consacra à se convaincre de tout ce qu'elle avait ressenti et décidé durant les cinq années de pension : dès qu'elle frôlerait l'âge adulte, elle partirait. Faire des études, ailleurs. En classe de seconde, elle s'en était ouverte à son amie d'enfance, Gisèle, de trois ans plus âgée, qui passait son deuxième bachot cette année-là et à qui sa tante Édith proposait d'habiter Paris, dans le petit appartement qu'elle possédait au Quartier latin. « Tu viendras habiter avec moi, avait aussitôt dit Gisèle. Nous ferons nos études à la Sorbonne ! Tu verras comme nous serons bien ! » C'était grisant. Malia s'était accrochée à cette idée.

La tante Édith était venue de Chartres passer les deux premières années à Paris avec sa nièce. Loin de toute sa petite société de notables chartrois, elle s'y était terriblement ennuyée. Gisèle avait commencé de vagues études d'anglais pour être traductrice ou interprète, puis avait décrété un jour qu'elle voulait être actrice de théâtre, peut-être même de cinéma. C'était ça dont elle rêvait, Gisèle, le cinéma, depuis qu'elle avait vu *Vacances romaines*, au Central, à Palaiseau, un dimanche de sortie avec les filles de la pension. Ensuite, pendant toute une année, elle s'était coiffée comme Audrey Hepburn, avec une queue-de-cheval haute et une frange. La tante Édith avait désapprouvé la coiffure qui faisait mauvais genre – « et pourquoi pas du fard à paupières et des bas, tant que tu y es ! » – et s'était vigoureusement récriée quant au projet. Actrice, ce n'était pas une situation pour une jeune fille, d'ailleurs on avait d'autres idées pour la suite, un jeune homme de Chartres, très bien de sa personne, une famille très correcte, des pharmaciens, plus tard Jean-Yves reprendrait la pharmacie, c'était déjà décidé. L'oncle s'était fendu d'un long courrier à sa nièce, bien tourné parce qu'il était notaire et connaissait les formes. Rien n'y fit. Gisèle fit la grimace à la seule évocation du jeune Jean-Yves et s'inscrivit dès le lendemain au Cours de René Simon, dans le VIIe arrondissement. Les cours se terminaient souvent tard et il fallait s'en revenir seule, à la nuit tombée. La tante Édith en fit une maladie, mais Gisèle l'emporta. Elle était obstinée comme une mule et ils ne savaient rien lui refuser. Au final, elle obtenait toujours ce qu'elle voulait. Elle obtint même de son oncle et de sa tante qu'ils lui paient ces études-là.

À la rentrée 1955, Gisèle venait d'atteindre sa majorité, 21 ans, Malia allait sur ses 18 ans, elle était bachelière, avec mention très bien. En désespoir de cause, tante Édith était retournée à Chartres auprès de son notaire de mari, et l'accord passé entre les deux jeunes filles lors d'une lointaine récréation commune à la pension se concrétisait. Elles étaient «étudiantes à Paris». Elles s'installaient ensemble.

Les parents de Malia avaient calculé très exactement ce que leur coûtait leur fille à nourrir et lui donneraient l'argent correspondant au centime près. Le logement était gratuit, à midi, il y avait le restaurant universitaire. Angèle confectionnait tous les vêtements et ravaudait même les «échelles» des bas contre lesquels Malia avait, dès la sortie de la pension, troqué ses socquettes. C'est avec l'assurance que ce changement de vie ne coûterait rien qu'Angèle et Matteo avaient finalement consenti à ce départ, lequel fendait le cœur de la mère et donnait des ailes à la fille.

Comme Malia repassait devant la loge, la concierge lui fit signe du menton que Gisèle devait être là-haut. Malia monta quatre à quatre les quelques volées de marches usées en leur centre. En arrivant sur le palier, son cœur bondit. La porte était entrouverte.

Malia se jeta dans les bras de Gisèle. Toutes les inquiétudes étaient envolées. Paris était une fête. La vraie vie commençait.

*

Angèle à Malia

Bures, 5 septembre 1955

Ma petite fille,

Ça fait de la peine, que tu sois partie. J'ai peur que tu oublies tes parents. Et moi, je ne suis pas à l'aise d'écrire, comme tu sais. Ton père encore moins. Il va bien. Il y a des prunes au jardin. À Paris, il fait beau aussi, j'espère. Si je viens, il faudra venir me chercher au train, autrement je me perdrai. As-tu cousu les rideaux, il faut y mettre double couture, sinon ça ne tiendra pas. La maison est bien vide. Enfin, grâce à la poste, nous pourrons s'écrire souvent. Meilleures affections de

Ta mère

Malia à Angèle

8 septembre 1955

Chère maman,

Tu ne dois pas être triste. Si tu voyais comme je suis bien installée ! Nous venons de passer notre première nuit dans notre « chez nous ». J'ai hâte que tu viennes nous y rendre visite ! Hier au soir, nous avons cousu les rideaux pour nos deux fenêtres avec le tissu à grosses fleurs et nous les avons accrochés. Ça fait un effet ! Nous avons chacune une table qui nous sert de bureau, Gisèle a celle de la chambre, moi celle de la cuisine. En réalité, je crois que j'aurai davantage que Gisèle besoin d'une table qui ne serve qu'au travail (et non aussi à manger). J'ai hâte d'être au 1er octobre et que les cours commencent à la Sorbonne. Je sais bien ce que vous pensez : que la philosophie, ça ne sert à rien et surtout pas à se marier, mais je n'ai pas l'intention de me marier tout de suite ! Et je suis bien décidée à vous montrer que mes études serviront à quelque chose ! J'ai une petite appréhension pour les examens oraux (nous en aurons dès cette année) à cause de mon problème de timidité que tu connais. On verra bien ! En attendant, je cherche un emploi comme garde d'enfants, j'ai bon espoir, il paraît que ce n'est pas difficile à trouver.

Je t'embrasse très fort ainsi que papa,

Malia

Malia à Angèle

2 octobre 1955

Maman chérie,

Je suis heureuse, si tu savais ! J'ai eu hier mon premier cours. Je suis « étudiante en philosophie » à la Sorbonne ! Nous sommes dans un immense amphithéâtre tout en bois, avec des peintures au plafond, rempli d'étudiants, très intelligents et passionnés et gais. Ça blague, là-dedans ! Imagine juste cette scène, tu la regardes de haut comme si tu étais perchée dans ce beau plafond justement, tu entends la voix magique du professeur qui nous parle à nous, tous ses étudiants de première année, et même si tu ne comprends pas ce qu'il dit (rassure-toi, nous sommes nombreux à ne pas comprendre !), tu es fière de ta fille ! Je te laisse, j'ai beaucoup de choses à lire.

Je t'embrasse de tout mon cœur,

Ta fille chérie

Angèle à Malia

15 octobre 1955

Ma petite fille,

Je vois bien que tu es contente, c'est ce qui compte. Pour ce que tu me dis du plafond et tout le reste, je n'y comprends rien, mais je vois que tu profites. Mais comme tu sais, nous nous faisons du souci. Mais tu en as toujours fait à ton idée. Ton père dit que ce que tu études, ça sert à rien, comme tu sais. Il faut bien que tu réussisses pour trouver un bon travail, sinon ton père, il me le pardonnera pas. C'est important pour l'entente de la famille, que tu réussisses. La Zette, elle est toute molle, il faut aller au vétérinaire, mais c'est cher.

Bons baisers de

Ta mère

Malia à Angèle

21 octobre 1955

Ma chère maman,

J'ai trouvé un emploi dans une famille à deux pas de la Sorbonne, à côté de la gare du Luxembourg, c'est pratique pour le train de Bures. Et ça soulagera bien mes petites dépenses. La maman est passionnée de littérature et le papa est journaliste. Des gens charmants. Je n'ai pas été trop intimidée la première fois, ce qui est très bon signe. Enfin, juste un peu, mon cou était rouge, mais la maman m'a mise bien à l'aise. Je dois chercher la petite fille à la sortie de l'école et il y a aussi un petit garçon d'un an. Avant-hier, la mère m'a invitée à prendre le thé avec elle à son retour du travail, et nous avons parlé pendant presque une heure. De quoi, imagine-toi ? Du travail des femmes (elle fait des traductions de l'anglais et du russe et elle travaille aussi dans une bibliothèque), elle pense que les femmes doivent étudier, travailler et même faire de la politique. Elle m'a encouragée dans mes études et m'a prêté des livres. Ce n'est pas loin de chez moi, je peux revenir à pied le soir, même tard. Dis à papa que bientôt je ne vous coûterai plus rien, je pourrai même payer mon électricité. Je me débrouillerai dans ma vie et je réussirai dans mes études. Dis-lui bien. Ma rencontre avec cette famille, c'est la preuve de ma bonne étoile.

Je vous embrasse bien fort,

Malia

Angèle à Malia

26 octobre 1955

Ma petite fille,

J'ai dit le message à ton père, au sujet de la bonne étoile. Il croit pas plus aux étoiles qu'au bon Dieu, comme tu sais, et il dit que le travail des femmes c'est à la cuisine ou peut-être secrétaire chez un docteur, ça lui plairait bien. Est-ce que tes études te permettront au moins ça, secrétaire ? Est-ce qu'il faudrait pas que tu apprennes la machine à écrire, il demande ? Mais ça, on pourra pas te le payer. Demande à ta dame où tu travailles, elle saura. La chèvre à ton père, elle remange, tant mieux !

Affectueusement de

Tes parents, mais ta mère surtout

Malia à Angèle

3 novembre 1955

Chère maman,

Comment allez-vous, par ces premiers jours de froid ? Je suis contente que la Zette soit rétablie, mais elle se fait vieille ! J'espère que papa ne se dispute pas avec Silvio quand il vient en permission, au sujet des tournées. Il faut comprendre Silvio. L'époque a changé, quel jeune voudrait être forain ? Les jeunes aujourd'hui sont modernes. Silvio veut une autre vie, c'est normal. Il me l'a dit, qu'il ne souhaitait pas avoir la même vie que papa. Et puis c'est trop triste de se disputer quand on se voit si peu ! J'ai parlé à Nina de la dactylo. Il faut apprendre aussi la sténo. Elle m'a parlé d'un cours, l'Institut Grandjean. Mais je crois que c'est cher et je n'aurai pas le temps cette année. Ma nouvelle famille est épatante. Nina m'a même demandé de l'appeler par son prénom! Nous parlons pas mal de politique. Tu ne peux pas imaginer le nombre de livres qu'elle a lus ! C'est drôle, elle est ma patronne et j'ai l'impression que c'est mon amie, bien qu'elle ait au moins 30 ans. L'autre jour, la petite Aude a voulu donner un bain à ses poupées, il y avait de l'eau partout. J'ai eu peur de me faire attraper, mais pas du tout, Nina a éclaté de rire et elle a pris la serpillière pour m'aider ! C'est quelqu'un de très cultivé, en plus de tout elle a fait des études de russe aux Langues orientales et comme elle est à moitié américaine, elle parle anglais couramment.

J'aimerais bien apprendre d'autres langues. À part ça, mes cours me passionnent toujours autant.

Je vous embrasse de tout mon cœur,

Votre fille, Malia

*

Silvio était le fils d'une autre. Le frère de Malia, mais pas le fils d'Angèle. Sa mère à lui était morte en couches lorsqu'il avait 4 ans, il ne s'en souvenait pas. C'était en 1934. Elle était morte un 21 juin, l'été, il y avait les fêtes votives, Matteo, le père, avait continué à faire les fêtes de villages, pendant quelques mois, entre Toulouse et Castelnaudary, avec son gamin, sa chèvre et son caniche blanc. Chaque soir, il avait rongé sa douleur et l'automne était venu là-dessus comme une brume apaisante. Un bel automne, lumineux, précis, et un gosse vif comme un feu follet. Les dernières foires d'octobre, il y avait encore eu quelques représentations, ils avaient poussé vers le Lot, le Limousin, ils avaient fait Yssingeaux, Ambazac, puis retour sur Brive et Cahors, la petite troupe entassée dans la camionnette avec le matériel, tabourets, cerceaux, jongleries, costumes crasseux, bidons d'essence pour cracher le feu. Mais le feu, justement, le sacré feu, celui qui fait les grands soirs avec trois bricoles de rien du tout, le feu sacré s'était éteint, le caniche avait attrapé une vilaine tumeur au cou, il avait fallu l'abattre avant d'arriver à Toulouse. Et puis la camionnette avait rendu l'âme. Et à la fin de l'automne, le petit s'était mis à pleurnicher quand il fallait faire la tournée des sous avec le chapeau et la canne. Il ne voulait plus. Pire que la chèvre quand elle décidait de ne plus bouger.

Matteo n'avait plus le cœur. Il avait fini par remonter vers le nord, là-haut, il y avait davantage de champs à labourer, de chevaux à ferrer, puisque dans le temps il faisait maréchal, du travail enfin. Avec le petit et la chèvre, ils avaient pris la route un clair matin de la fin octobre. À pied, il y avait si peu d'argent, et puis aucun autocar n'aurait embarqué la chèvre qui sentait fort. Ils avaient gagné le causse, dormi dans des bergeries et aussi à la belle étoile. Quand l'occasion se présentait et que l'humeur était bonne, ils faisaient leur numéro, avec juste la chèvre, et ramassaient un peu de sous. Mi-novembre, ils étaient à Angoulême, les premiers froids étaient là et Matteo songea à s'arrêter pour l'hiver. Un aubergiste chez qui ils firent une représentation contre quelques nuits au chaud leur parla d'un sien cousin, fermier vers Poitiers. Il avait des bêtes, des ânes, des champs à entretenir et des chevaux de trait à soigner. De gros beaucerons à croupe musclée et à large semelle. Du surplus de travail tout au long de l'année. Le 25 du même mois, Matteo frappait chez le fermier de la part de l'aubergiste. Il était prêt à travailler contre un logement pour lui et son gamin, de la paille pour sa chèvre, il s'offrait pour ce qui viendrait, tout ce qui se présenterait, surtout les travaux du fer, surtout les chevaux, il s'entendait avec les bêtes. Le paysan l'aima bien, sa vieille sœur aussi, qui vivait là et qui s'attacha au petit. Il lui offrit le gîte pour l'hiver contre le ferrage et l'entretien des bêtes de labour, chevaux et bœufs, des charrues, socs, bêches, houes, et toute cette ferraille qui mord et griffe et étripe la terre en gésine aux premiers beaux jours. Au printemps, il lui offrit même sa fille unique parce que Matteo en était tombé amoureux et qu'elle le lui rendait bien.

Pendant tout l'hiver, il l'avait bien remarqué, l'Angèle, qu'elle lui faisait les yeux doux, qu'elle lui servait une louchée de soupe en plus, et au petit aussi qui mangeait la marmite des yeux quand son assiette était vide.

Et puis un soir de février, Angèle était sortie à la nuit tombante pour ramasser du petit bois au bout du champ, en lisière de la chênaie. C'était mercredi des Cendres, la veille on avait fait bombance pour l'avant carême, Angèle et sa tante avaient servi des crêpes et des beignets, chacun s'était rempli la panse. On avait ri et bu la gnôle du père, une prune qui titrait fort. Matteo qui avait la foi des charbonniers, mais pas celle des curés, avait bien essayé de plaisanter Angèle sur la cuisine de carême, pas une once de gras, que déjà Angèle n'en avait pas beaucoup, du gras, et l'entendre dire, ça la faisait rougir, Angèle, et baisser les yeux. Mais en regardant ses pieds, elle souriait, alors Matteo continuait. On ferait des petites exceptions, pas vrai, ce cochon qu'on avait tué, on n'allait pas le faire attendre au saloir, il faudrait lui faire honneur, au moins le dimanche. Mais là-dessus, au moins, les deux femmes étaient intraitables. Angèle avait répondu aux saillies de Matteo en secouant la tête avec le même sourire, et ce soir de mardi gras, il s'était noué entre eux une douce complicité, faite d'on ne savait trop quoi entre la religion, la bonne chère et le plaisir. Après quoi, chacun s'en était allé se coucher et le jour sale qui peinait à émerger le lendemain avait fait triste figure et ennui aux cœurs échauffés de la veille. En comparaison, il faisait bien gris ce mercredi des Cendres, d'autant que le carême avait commencé avec ses quarante longs jours de maigre devant.

Ce soir-là, quand Matteo de retour du pré, tenant le large Beauceron par le licol, s'était arrêté à la hauteur d'Angèle, courbée à fagoter son bois, et lui avait dit un peu niaisement : « Qu'est-ce que tu fais ? », elle s'était redressée en souriant, le même sourire que la veille, engageant. Et ce sourire avait envahi le corps de Matteo. La tête un peu penchée, elle l'avait regardé crânement, elle avait répondu :

– Tu le vois, je fais ma misère !

Et il avait été si surpris de cette réplique, en même temps si heureux du sourire, que les mots étaient sortis tout seuls :

– Et ta misère, tu voudrais pas bien la faire avec moi ?

Elle était tombée dans ses bras. Il l'avait cueillie, délicatement, contre la large encolure du Beauceron, parmi les crins rêches et collés de boue séchée.

Angèle avait le certificat d'études et lisait les feuilletons d'amour dans le *Poitevin* du jeudi. Elle n'était plus une rose en bouton, frisait les 25 ans et avait déjà connu le malheur, sa mère, partie brutalement et bien trop tôt, puis un garçon auquel elle avait été fiancée et qui était mort écrasé par une charrette à foin. Mais elle avait les cheveux noir corbeau et la poitrine généreuse comme les filles de chez Matteo, la Calabre, des fortes plantes, charnues, travaillées par la sève, qu'à 13 ans il bousculait déjà dans les champs d'oliviers à l'époque de la cueillette. Rien qu'à la regarder, il se retrouvait une vigueur et avait envie de chanter.

Personne ne s'embarrassa d'autres formalités que le passage à la mairie et un tout petit brin d'église, le paysan avait peu de foi, Angèle et sa tante bien un bout, mais ça suffisait. On ne fit pas de banquet, seulement une collation, ça coûtait assez cher comme ça, quoique pour la dot le marié ne fût pas regardant. Le lendemain, on alla chez le notaire pour faire les papiers car Angèle reçut de son père un petit bien à placer en bons et le paysan voulait s'assurer que Matteo ne le disperserait pas à tout vent. Il le savait bien, que son gendre calabrais était un forain dans l'âme, pas un établi ni de la terre ni d'ailleurs et qu'il repartirait sur les routes. Matteo signa tout ce qu'on voulut, une grosse signature noire qui ressemblait à un tas de mouches sur une blessure ouverte.

*

Angèle à Malia (carte postale prétimbrée)

15 novembre 1955

On t'a attendue ce dimanche, j'avais fait une tarte au sucre, pourquoi que t'es pas venue? C'est bien beau de nous écrire des lettres qu'on doit s'y reprendre à trois fois tellement qu'elles sont longues, mais tu viens pas tu préviens pas. On a mangé la poule froide le soir et encore ce midi. En plus, la Zette, elle est encore patraque. Ton père il veut refaire des tournées à Noël, ça a fait encore du zinzin avec ton frère. Ton père veut que tu viennes sûr l'autre dimanche, moi aussi.

Ta maman

Malia à Angèle (carte postale « Les Halles, le pavillon aux viandes »)

18 novembre 1955

Chère maman, pardon, j'ai eu un empêchement de dernière minute, Nina m'a demandé de garder les enfants le dimanche après-midi et je n'avais pas compris que vous m'attendiez. Je suis bien triste de vous avoir fait faux bond. Je viendrai dimanche prochain, bien sûr. Pour la chèvre, il faut l'emmener chez le vétérinaire, je pense qu'elle est simplement très âgée et qu'en tout cas elle ne peut certainement plus faire de tournées !

Encore mille excuses, je vous embrasse,

Malia

Angèle à Malia

5 décembre 1955

Dis donc, tu n'écris plus du tout ! C'est cette famille où tu gardes les enfants, tu ne fais que d'en parler, tu la préfères que nous ou quoi ? Ton père, ça l'énerve. Donne des nouvelles, s'il te plaît. Et si tu crois qu'on a l'argent pour le vétérinaire, c'est que tu te trompes. Et puis ton frère il quitte l'armée, ça lui plaît plus, on l'aura encore sur le dos pour la nourriture, c'est sûr qu'il aura pas de travail de suite.

Affections de
tes Parents

*

Des années auparavant, quand Angèle était gamine, on l'appelait « la petite », à cause qu'elle n'était pas grande de taille, ou encore « la petite Gégée ». « Gégée », c'était surtout sa mère qui l'appelait comme ça, une matrone formidable, une maîtresse femme, mère de six enfants, tous partis au loin, sauf « la petite Gégée », l'avant-dernière, depuis toujours tellement accrochée à ses basques que ça faisait rire le monde. La mère d'Angèle, Dédée, ou plutôt « la Dédée », était dans le pays la « femme qui aide », une des plus courues, aux confins du Poitou et de la Charente. Elle aidait aux bébés et aux morts, les uns dans un sens, les autres dans l'autre, et Dieu merci, il y avait plus de bébés que de morts. Sillonnant à bicyclette, de jour comme de nuit, les routes et chemins de Touraine, d'Angoumois, du Vendômois, poussant parfois plus loin encore, jusqu'à la Saintonge ou le Bas-Quercy, tant sa réputation était grande, s'étant faite de bouche à oreille et de femme à femme sur des générations et des parentèles de plus en plus éloignées. La « petite Gégée » l'avait accompagnée aux naissances dès qu'elle avait été femme. À son premier sang, sa mère l'avait emmenée avec elle puisque aussi bien la petite gémissait de se trouver toute seule à la ferme avec le père qui était aux champs jusqu'à la nuit tombée et qui, une fois rentré, n'ouvrait pas la bouche jusqu'au coucher. Il y avait une soupe de lard sur la cuisinière toute la sainte année et le père s'était fait à l'idée de se servir lui-même et de tremper son potage avec la miche qu'on faisait à la semaine. Bien souvent, il partait se coucher que sa femme et sa fille étaient encore dehors.

La plupart du temps, c'était le mari ou le jeune frère qui arrivait à n'importe quelle heure du jour ou de la nuit. On entendait galoper de loin, sur le chemin durci, entre les poiriers.

– Mère Dédée ! Mère Dédée ! Ça y est, c'est commencé, il faut venir !

Ça tambourinait à la porte. La Dédée ramassait son panier, y fourrait du linge propre, une paire de ciseaux, un pain de savon et une fiasque de gnôle, appelait la petite et les voilà parties.

Une fois sur place, Angèle assistait sa mère, préparant les bassines, pliant en quatre les draps usés, mais bien propres, sur lesquels la parturiente s'allongerait, tendant silencieusement à sa mère les ustensiles, linge, ciseaux, bassines, tabouret, eau bouillie, dont elle pourrait avoir besoin, allant porter les draps souillés au lavoir pour les mettre à tremper dans l'eau glacée avant le gros savonnage. La seule chose qu'elle ne faisait pas, Angèle, c'était les herbes. Celles qui faisaient venir les enfants chez les femmes stériles ou précipiter l'accouchement si le bébé était trop gros ou en danger. L'armoise, à la senteur acide, la sauge duveteuse, la rue et l'alchémille, le millepertuis et la graine de fenouil. Elle n'avait jamais eu le droit de les toucher, ni même de les ramasser dans les champs. Cela, c'était réservé aux femmes ayant eu enfant ou tout au moins mari. D'ailleurs, elle ne les identifiait pas vraiment ou plutôt si, un peu car elle avait toujours vu faire sa mère mais, tant qu'elle était « fille », elle n'avait pas le droit de les cueillir. Pas plus qu'elle n'était autorisée à toucher les bébés, elle ne l'était à frayer avec les substances vivantes et fraîches, opérantes sur les femmes. En revanche, une fois que les herbes étaient bien sèches, après quelques semaines sur une claie dans la tiédeur de la dépense, Angèle était préposée à garnir un panier d'un petit bouquet de chaque. Elle s'acquittait de cette tâche avec conscience, se demandant quel serait le miracle qui, un jour, la rendrait autre chose que « fille ».

Dédée mourut brusquement, dix jours après ses relevailles d'un enfant mort-né, un tardivon conçu alors qu'elle allait sur ses 50 ans. La naissance avait été difficile, l'enfant s'était étranglé avec le cordon avant de sortir et elle s'était trouvée bien fatiguée de cette grossesse et de cet accouchement. Mais Dédée ne s'était jamais plainte de sa vie, encore moins de ça. Elle fit les bébés des autres jusqu'à la fin, et même la toilette complète à une morte, l'avant-veille de son propre accouchement. Elle passa sans prévenir le jour de sa fête, 20 avril, un jeudi de la Sainte-Odette, ayant repris le travail dans la maison et les grosses lessives puisqu'on était au printemps, personne n'aurait pu imaginer. Angèle retrouva sa mère, affaissée sur la table de la cuisine, son œil ouvert encore tout surpris de ce qui arrivait de façon si impolie, si imprévue. Dédée était morte d'une fièvre puerpérale fulgurante, une infection maligne qui l'avait rongée à bas bruit pendant ces dix jours.

Ce fut un choc terrible. Angèle se sentit brutalement abandonnée à l'entrée de son chemin de femme. Elle n'avait reçu de sa mère que par les yeux puisqu'elle ne touchait pas encore et que Dédée faisait, mais n'expliquait pas. Tous les secrets, toute la connaissance, Dédée les emportait avec elle. Angèle y pressentit un signe désastreux, la marque confuse d'un manque irrémédiable, de mère à fille, qui la troubla bien plus profondément que la disparition elle-même. Elle se tordit les mains, pleura beaucoup, fit de l'angoisse pendant des mois. Elle pensa n'avoir elle-même jamais d'enfants, qu'elle ne le voudrait ni ne le pourrait après tout cela.

Sa tante paternelle, une vieille fille acariâtre, s'en vint vivre avec Angèle et son père pour faire compagnie. Angèle ne l'aimait guère et la tante le lui rendait, la critiquant sans cesse dans ses habitudes. Sans Dédée, la vie à la ferme se racornit, de taiseux le père devint mutique. Là-dessus, il y avait eu un prétendant, un gars gentil qui faisait les marchés, et qui avait fait sa demande au père. Angèle ne le trouvait pas spécialement à son goût, mais quand, quatre mois après le repas de fiançailles, en pleine fenaison, il était mort brutalement, écrasé sous la charrette, elle avait beaucoup pleuré. À l'automne, elle avait fini par sécher ses larmes, mais elle s'était éteinte comme une lampe et roulait des pensées noires. Monsieur le Curé lui conseilla de prendre l'air, d'aller à Lourdes ou de s'établir à Melle comme bonne, ou encore de passer son certificat d'études puisque, le dimanche, elle lisait déjà pour son père le journal avec les nouvelles et les petites annonces. Les études ne lui disaient guère, bonne pas davantage, Lourdes, elle aurait aimé, mais le voyage en autocar lui fit peur. Finalement, elle se reprit en main en recopiant pour le plaisir, d'une grande écriture curvée, des pages entières de petites annonces. C'est en la voyant plongée jour après jour dans cette activité qui semblait apaiser son cœur meurtri que le curé, venant régulièrement faire visite depuis le décès de Dédée, prit l'initiative de lui proposer une place de « secrétaire ».

C'est ainsi que pendant quatre ans, une matinée par semaine, la petite Gégée prit la route du presbytère pour mettre au propre les registres des baptêmes, des communions, copier les prières destinées à être dites en de certaines occasions, pour une messe du souvenir, une confirmation, enfin faire tout un petit travail de scribe qui, ma foi, lui plaisait bien et qui lui donnait l'impression d'être utile à une communauté plus large que l'étroite société de la ferme et de son père vieillissant.

Car Angèle avait de l'ambition. Depuis la mort de sa mère, elle nourrissait le secret espoir de devenir une personne comme il faut et de quitter son trou.

Aussi, quand le forain Matteo arriva, au début de cet hiver de 1934, et demanda le gîte et le couvert, Angèle vit bien tout de suite non seulement qu'il était beau gars, fort et ne rechignant pas à l'ouvrage, mais qu'il l'emmènerait loin d'ici et qu'elle ne s'embêterait pas avec lui.

La suite montra qu'elle avait eu raison.

*

Malia à Angèle
8 décembre 1955
Chère maman, cher papa
Je suis désolée de ne pas vous avoir écrit plus tôt,

j'ai beaucoup de travail et le soir, je suis tellement fatiguée que je m'endors sitôt rentrée. Je m'intéresse de plus en plus à la politique. Nous en parlons beaucoup, avec Nina. Elle s'est inscrite l'année dernière au parti communiste, elle pense que c'est la seule façon de changer les choses. Je ne me sens pas encore vraiment mûre, mais je réfléchis. Impossible par contre de parler avec Gisèle, elle ne jure que par le théâtre, la politique ne l'intéresse pas. Moi, je trouve que l'on n'a pas le droit de s'en désintéresser. Je vous embête, mais je sais que papa est sympathisant communiste, ça devrait lui faire plaisir, non?

Je vous embrasse de tout mon cœur,

Malia

Angèle à Malia

11 décembre 1955

Ma petite fille,

Tout ce que tu dis des communistes, c'est bien beau, nous on veut bien faire payer les riches, mais tes études alors? Tu te rends compte que ça coûte quand même au lieu que t'aye un mari ou un emploi? Alors, j'aimerais bien savoir ce que tu fais avec cette femme, que tu parles que d'elle, elle te paie bien, au moins? Ton père va repartir en tournée, ils se sont rabibochés avec ton frère, à l'armée ils le laissent partir. La Zette elle va mieux, mais elle sent toujours aussi fort, je crie quand il la fait rentrer dans la maison, elle fait ses crottes partout et c'est moi qui ramasse, ça lui fait ni chaud ni froid, à ton père. As-tu du charbon?

Affections,

Ta mère

Malia à Angèle (carte postale, « La cathédrale Notre-Dame de Paris »)

14 décembre 1955

Chère maman,

Ne vous inquiétez pas pour l'argent, je suis bien payée chez Nina, au final j'ai 400 francs par mois pour 4 jours de travail par semaine (pas le mercredi), et parfois des gardes de soirée quand ils sortent. Je pense qu'après Noël, vous n'aurez plus besoin de m'aider du tout. Nous avons encore du charbon.

Je file à mon cours, je vous embrasse, ne vous faites pas de souci pour moi,

Votre Malia

*

Angèle et Matteo étaient repartis ensemble en novembre 1935, un an jour pour jour après l'arrivée de Matteo à Neubécourt. Avec le petit, ils s'établirent près de Chartres, dans une sorte de banlieue un peu triste, mais qui convenait aux deux parce qu'à Angèle elle semblait s'approcher de la ville et à Matteo s'en écarter. Et surtout cet anonymat de petites maisons sans âme paraissait à Matteo un bon point de départ pour reprendre les tournées.

Il acheta un couple de caniches, noirs cette fois, jeunes et en pleine santé, repartit avec les chiens, la chèvre et le petit. Silvio avait appris à gratter le violon, la chèvre avait perfectionné ses pas de danse et Angèle leur avait confectionné de vrais costumes de forains, colorés, tout cousus de partout avec du gros fil rouge et vert. Les représentations marchaient du feu de Dieu, autour de Chartres. Au début, Angèle venait, elle regardait, les yeux brillants, son Matteo faire son boniment magnifique, elle fondait de tendresse devant l'indécrottable accent italien, elle les regardait tour à tour, lui et les gens dans la foule. Elle regardait comme ils le regardaient, elle essayait de voir s'ils l'aimaient comme elle l'aimait, aussi fort, autant, s'il n'y avait pas quelque fille, là, qui le zyeutait pareil qu'elle, histoire de se rendre un peu jalouse, c'était agréable ce petit pincement puisqu'elle le savait bien qu'il n'aimait qu'elle. Peu à peu, elle vint moins, c'était de plus en plus loin, fatigant, ça coûtait de loger tout le monde et il fallait bien qu'elle gagne des sous, elle aussi, parce que ses petites économies avaient fondu. Elle chercha à se placer comme bonne, elle savait tenir une maison et elle trouva assez vite.

Mais dans la maison, il y avait des enfants à s'occuper, et là elle se montra maladroite. Probablement parce qu'ayant déjà coiffé Sainte-Catherine et étant mariée depuis deux ans et toujours pas plus féconde qu'un fruit sec, il y avait en elle cette petite part d'aigreur invisible qui suffit à effrayer les enfants et à indisposer les parents. Elle ne garda pas sa place. Elle fit des ménages, à l'heure, parce qu'elle ne présentait pas assez convenablement pour servir à table ou pour accueillir des invités. C'était dur, ingrat. Finalement, elle trouva une famille qui l'aima bien et qu'elle aima aussi. C'était un couple sans enfant, avec seulement une nièce, une petite Gisèle qu'ils voyaient parfois le dimanche et un peu pendant les vacances parce que son papa était veuf et capitaine au long cours.

C'étaient des gens riches et bienveillants, qui lui passaient son langage un peu fruste et ses fautes d'orthographe dans les listes des produits manquants qu'elle devait faire chaque semaine à la cuisine. Madame Édith payait bien, lui donnait ses vieilles robes et des étrennes le 1er janvier.

Matteo ne refit jamais maréchal-ferrant, il vivait de sa passion et du petit bien de sa femme. Ils vivaient petitement, mais bien.

Quand la petite arriva, ils se retrouvèrent quatre, plus les animaux. Une vraie famille, dans une bonne petite maison avec un carré de potager. Mais c'était 1940, très vite, ce fut la guerre et tout se disloqua. Les tournées cessèrent. Les années d'avant, il y avait eu l'engouement des congés payés, beaucoup de représentations sur les plages du Front populaire. D'un coup, tout s'arrêta. Il fallut se terrer au milieu du flot des réfugiés qui passait sans discontinuer sur la nationale comme un troupeau fou martelant dans la débâcle le sol durci dans lequel on venait de réussir à se faire un trou.

Chartres trembla pour sa cathédrale, Angèle pour sa toute petite. Malia, Amalia, parce que c'était le prénom de la mère de Matteo. Il lui écrivait parfois, à sa vieille mère, des lettres courtes, pas compliquées, qu'il dictait à sa femme, en italien, puisqu'elle aimait bien écrire et ça l'amusait d'écrire des mots qu'elle ne comprenait pas. Il racontait la vie en France, l'arrivée de la petite. Cela faisait vingt ans qu'il ne l'avait vue, plus de temps qu'il ne l'avait connue puisqu'il était parti à 16 ans. Elle ne répondait pas, ne sachant pas écrire. Une petite carte par un voisin, à Noël. Mais elle était là, dans son cœur, toute blottie, toute fripée, la petite mère calabraise de Matteo.

Ils passèrent la guerre sans bouger, bien fermés dans leur maisonnette, se débrouillottant avec les choux de Bruxelles du potager, deux poulettes et le marché noir. Il fit très froid et Matteo s'était remis à travailler le fer dans un vieux garage partagé avec un voisin. Il apprit à son fils. Le gamin, ça l'intéressait plus que l'école qu'il avait commencé à fréquenter. Silvio aimait taper la tôle, redresser la ferraille, la chauffer à blanc pour lui donner des formes. L'hiver 1943, Matteo inventa un petit poêle en fer-blanc qui ne coûtait rien et qui chauffait fort. Il en vendit un premier à son voisin, on lui passa commande. Jusqu'à la fin de la guerre, Matteo et Silvio fabriquèrent des poêles en série qui se vendirent dans tout le secteur.

À la Libération, il fallut retourner à l'école. Silvio avait 14 ans sonnés, il refusa net. La petite, elle, adora ça dès le premier jour et très vite, on s'aperçut qu'elle marchait bien. Exceptionnellement bien. En arrivant au cours préparatoire, elle lisait déjà et en dixième, elle connaissait ses tables de multiplication. Angèle la bichonnait comme une petite princesse.

Un dimanche, elle fut invitée à goûter avec la nièce de Madame Édith. Gisèle avait trois ans de plus, au début elle fit sa chichiteuse avec Malia, mais on renouvela l'expérience un mois plus tard et, somme toute, les petites filles s'entendirent. Malia était plus mûre que son âge et Gisèle plus gamine.

Elles se rencontrèrent dans ce mitan où chacun apporte à l'autre ce qu'il n'a pas.

À l'automne 1945, Matteo fut invité à donner une représentation pour une fête de vendanges tardives dans le Saumurois. De vagues cousins de sa femme, il fallait renouer les contacts, et puis c'était l'occasion de voir si on avait gardé la main. La chèvre et les deux chiens reprirent du service. Silvio avait passé toute la guerre à jongler dans le garage entre deux poêles à sertir et entretenu les quelques airs de violon qu'il connaissait. La représentation fut un succès, Matteo fit 80 francs en une soirée, plus qu'Angèle en une semaine. Il décida de reprendre son ancien métier, avec Silvio, la chèvre et les deux chiens pour commencer. Ensuite, si ça marchait, on achèterait peut-être un singe, on disait que c'était facile à vivre, pas cher à nourrir et que ça faisait venir le monde. Angèle, elle, hochait la tête, en marmonnant que « toute cette animalerie », finalement, ça n'était peut-être pas une vie décente pour sa fille. Maintenant qu'elle en avait une à elle, de fille. Mais elle aimait son Matteo, alors elle laissait faire.

L'été suivant, Malia resta seule avec sa mère dans la petite maison à la lisière de Chartres. Matteo et Silvio étaient en tournée sur les plages bretonnes. Malia, qui allait sur ses 9 ans, se languissait un peu de Gisèle, mais préférait quand son père et son frère n'étaient pas là. Moins de bruit. Plus calme pour lire. Angèle était en congé d'août, ses patrons passaient le mois à Cabourg avec leur nièce et Malia trompait son léger ennui dans les livres. Au reste, elle ne s'ennuyait pas vraiment, c'était bien ce qui troublait sa mère. Elle n'était ennuyée que de l'absence de Gisèle, son amie, son « cher cœur », comme l'appelait Gisèle, toujours protectrice. Pourtant, des deux, c'était Malia, la plus jeune, la plus réservée, qui était la plus raisonnable. Du haut de ses 11 ans, Gisèle pontifiait parfois, mais aussi faisait la fofolle, la dégourdie, la capricieuse. Malia, un petit mètre quarante, des yeux perçants comme des diamants, était la sage. C'était elle qui faisait redescendre Gisèle de ses colères contre l'oncle injuste ou la tante trop rigide à son goût. Elle qui trouvait les mots quand son amie s'effondrait en larmes parce qu'on lui avait fait une crasse à l'école. Malia, la petite, la menue, la silencieuse, avait une connaissance étrange, innée, de l'humanité à laquelle se cognait sa presque sœur, sa seule amie, sa grande Gisèle. Inversement, Gisèle était celle, la seule, qui arrachait parfois à Malia un rire franc, autre chose que le sourire glacé qu'elle réservait à la plupart des gens qui s'intéressaient à elle, un sourire comme pour dire « Tout va bien, n'approchez pas ».

Aussi, en ce mois d'août de 1946 où Gisèle n'était pas là pour la distraire ou la faire rire, Malia était-elle dans ses livres. Pas avec sa mère à babiller, à papillonner à la cuisine, à tourner autour des fonds de crème au chocolat, à pleurnicher pour aller à la fête foraine, ce qui, au fond, pour Angèle, eût été normal et distrayant. Non, ailleurs, elle était. Dans les livres. Durant le mois, elle avait lu tous ceux que lui avait donnés Madame Édith, les *Bécassine*, les *Martine*, *Sophie* et ses « Malheurs », et même les gros, tous les *Heidi*, *Sans famille*, *Ali Baba et les quarante voleurs*. À 9 ans, c'était beaucoup, elle avait tout lu. Angèle se désolait du petit visage pâlot qu'elle attribuait à cette activité silencieuse, – « on croirait un enfant de la guerre » –, et pourtant, ces années-là, on n'avait manqué de rien chez Madame Édith, Malia avait été, comme les autres, gavée d'huile de foie de morue, vermifugée, pesée sur la balance du pharmacien, emmitouflée tout l'hiver dans d'immenses écharpes tricotées par sa mère. Pour Angèle, la constitution maigrelette, comme le caractère intérieur et pensif de Malia, n'était due qu'à l'influence néfaste de la lecture. Elle ne le disait pas ouvertement, puisque la patronne encourageait le penchant de Malia pour l'étude. Mais dès que Madame Édith avait le dos tourné, elle grondait sourdement en direction de la petite : « Quand c'est de trop, c'est de trop » ; elle la tançait à chaque repas « faut manger, ma bichette, et puis faut prendre l'air. Viens donc cueillir les z'haricots ! » Malia s'exécutait docilement. Sitôt son panier rempli, elle courait retrouver *Heidi* à l'office et humait avec délices l'air pur de ses alpages.

Cet été-là, pendant que Malia se nourrissait de livres, Angèle avait rempli de bocaux toutes les étagères de la resserre, confitures de cerises, mirabelles précoces, abricots du jardin, gelées de cassis, groseilles, bocaux de haricots verts, petits pois, tomates, cornichons. Elle s'était sentie bien seule. Pas une promenade au jardin à la fraîche, une fois l'ouvrage fini, ou en ville le dimanche, pas une causette de mère à fille, Malia ne lui avait rien accordé, elle était restée plongée dans les livres. Angèle avait mangé sa déception, les bocaux s'étaient empilés dans la resserre. Beaucoup de bocaux, cet été-là.

Le 1er septembre, Madame et Monsieur rentrèrent avec leur nièce. En entendant le bruit du moteur, Malia leva le nez de *Heidi grand-mère,* corna sa page et posa son livre. La traction avant noire aux roues rutilantes s'arrêta devant le perron et Gisèle en sortit joyeusement en faisant crisser le gravier sous ses sandales.

Les petites filles se jetèrent dans les bras l'une de l'autre. Gisèle était si jolie, toute dorée dans sa robe à fleurs, ses yeux bleus brillaient d'excitation.

– Tu sais quoi ? Je pars en pension à Paris ! Enfin, tout près. Tante Édith m'a inscrite dans une vraie pension, avec des filles de tous les pays du monde, je vais me faire plein d'amies, je vais apprendre l'anglais ! Et puis tu viendras me voir ! Oh, je suis si contente !

Et Gisèle était partie en bondissant vers la maison, comme un faon, pour informer le reste de la maisonnée de sa nouvelle joie.

Malia était restée là, hébétée, les bras ballants.

Gisèle partit le surlendemain. Elles se dirent « au revoir » au bout du jardin, sur leur banc préféré derrière le laurier noir. Gisèle fit promettre à Malia de venir la voir. Malia promit. Cela n'avait aucun sens, mais elle promit. Gisèle fit semblant de la croire. Elle était trop excitée pour être triste.

Pour la petite Malia, l'année scolaire qui commençait s'étira comme un long jour sans pain.

*

Malia à Angèle

20 décembre 1955

Chère maman,

Merci encore pour la gelée de coing et le molleton : nous avons enfin pu calfeutrer les deux fenêtres et la porte d'entrée, le froid ne passe plus. Mais nous restons quand même bien couvertes chez nous parce que notre petit poêle ne chauffe que la chambre et finalement nous sommes à la cuisine tout le temps, c'est là qu'il fait le plus chaud. C'est bientôt Noël, je me réjouis d'être avec vous! La seule chose qui m'inquiète: tu me dis que papa et Silvio partent le 28 pour une représentation en Auvergne. Mais c'est le bout du monde, l'Auvergne! Et la camionnette menaçait déjà de rendre l'âme l'été dernier. Et papa qui est bien fatigué. Et la petite Zette qui n'est pas vaillante. Avec le froid qu'il fait, les routes verglacées, cela me fait peur. Maman chérie, avons-nous vraiment besoin de cette représentation-là et cela ne risque-t-il pas de coûter plus cher en carburant et en soucis que cela ne va rapporter à notre famille?

J'arriverai le samedi 24 par le train de 6 heures du soir, comme ça nous pourrons préparer le repas ensemble. Silvio sera-t-il déjà là?

Je vous embrasse bien fort,
Malia

Malia à Angèle
21 janvier 1956
Maman chérie,

Il fait toujours aussi froid et ce que tu me dis de papa me soucie bien. Il n'a plus la santé pour ces tournées, surtout en plein hiver! Trois semaines de lit pour trois jours de représentation, cela ne vaut vraiment pas le coup! Oh, dans ces moments-là, je me sens bien coupable d'avoir voulu faire des études plutôt que d'apprendre tout de suite la dactylo comme tu me le conseillais. Mais ne sois pas triste : j'ai bien l'intention de l'apprendre, cette sacrée dactylo, et même la sténo, dès que j'aurai gagné assez avec mes gardes d'enfants pour me payer les cours du soir de l'Institut Grandjean. Et cela ne devrait pas tarder.

Bon, en attendant, moi aussi, j'ai un début d'angine,

Mille tendresses de ta Malia

Angèle à Malia,

26 janvier 1956

Ma chère petite fille,

Écris mieux, on n'arrive pas à lire. Vivement que Monsieur Compans aye le téléphone, mais il repousse à chaque fois, en plus il paraît que c'est cher, mais au Tabac, il y aura un jeton, il n'y aura qu'à pas parler longtemps. Ton père, ça va, il va faire une représentation quand même, c'est bien payé, c'est pour un anniversaire chez des riches à Saint-Rémy. Ton frère ira, il fréquente une fille, il est plus jamais là. Remarque que c'est normal vu son âge. Pour ta gorge, il faut que tu prennes du lait chaud avec du rhum, tu peux y aller, ça fait suer, et un jaune d'œuf, tu fouettes bien. Je t'embrasse bien,

Ta maman

Angèle à Malia

2 février 1956

Il a encore neigé cette nuit, il y a de la glace et la radio dit que ça va encore baisser. On quitte pas la cuisinière, ton père a fait rentrer la biquette elle fait ses crottes, tu vois le travail. Il a peur qu'elle crève dehors à cause du froid, ça serait pas le moment avec la représentation qui arrive, c'est bien payé. On t'attend le 15 pour ta fête, il rentrera exprès, il aurait pu coucher là-bas, mais ils vont revenir exprès avec Silvio pour toi.

Alors, viens bien le 15, surtout,

Ta mère

Malia à Angèle

10 février 1956

Maman, figure-toi que j'ai trouvé dans mon bol ce matin un petit mot plié en quatre avec un ruban rouge. À l'intérieur, une place de théâtre pour la Comédie-Française, on donne une pièce de Victor Hugo... le 15 février ! Le cadeau de Gisèle pour mes 18 ans ! Je ne m'y attendais pas, je ne savais même pas si elle se rappelait la date de mon anniversaire. Je me demande si tu ne lui as pas dit, la fois où tu es venue... Mais du coup, maman chérie, je ne pourrai pas venir déjeuner le samedi 15, je viendrai plutôt le dimanche. Es-tu d'accord ? Et le lundi 17, imagine-toi... Je suis invitée à dîner pour mon anniversaire chez Nina et Robert! À dîner!

Je suis si impatiente de tout ça, le théâtre, le dîner!

ta Malia qui t'embrasse

Angèle à Malia

12 février 1956

On a pas le choix, on t'attend pour le déjeuner dimanche. N'oublie pas que 18 ans, c'est le changement, moi j'ai eu mon premier fiancé mais il est mort c'est pour ça. Mais ne viens quand même pas avec cette famille, on dirait que vous êtes collés! N'oublie pas que ta vraie famille, c'est moi. Je te dirais que ça nous énerve, ton père aussi. Viens bien à l'heure pour manger, ton père n'aime pas manger en retard, comme tu sais, je fais un rôti et il revient exprès, il aurait pu rester coucher, comme je t'ai dit.

À dimanche,

Ta maman chérie

Malia à Angèle

17 février 1956

Merci, maman, merci pour cette belle fête de mes 18 ans. J'étais contente que papa et Silvio soient revenus pour moi. La dernière représentation de Silvio! Mais il a l'air si heureux de se marier et Pauline est vraiment gentille. Quoi que tu en dises, maman. Tu sais, je peux comprendre qu'une jeune femme ait envie d'avoir son mari auprès d'elle. Et que Silvio ait envie d'arrêter de tourner avec papa. Après tout, il n'a pas choisi d'être forain. Aujourd'hui, il veut changer de vie, et c'est bien normal. Il n'a pas fait d'études, il veut faire sa vie à la force de ses poignets, il rêve de devenir carrossier et il y arrivera. Et je suis sûre que vous finirez par admettre Pauline dans notre famille. Ces 18 ans, tu vois, c'est drôle, je ne sens pas « le grand changement » dont tu m'as parlé. Je me sens comme avant. Tiens, parfois, j'ai l'impression que je suis adulte depuis très longtemps, c'est bizarre. Parfois, je me sens beaucoup plus adulte que certains adultes. Disons, en tout cas, que le vrai « grand changement » de ces derniers temps, ça a été mon départ de Bures, mes études à la Sorbonne et toute cette nouvelle vie. Et bien sûr, ma rencontre avec Nina. Mais à l'intérieur de moi, « l'étape décisive » a été franchie il y a bien longtemps, il me semble. On verra bien pour les fameux 21 ans!

Je vous embrasse fort,

Malia

*

La séparation d'avec sa fille était inévitable. Ce funeste jour de septembre 1955, Angèle l'avait redouté depuis toujours. De tout son instinct, ce puissant instinct de mère empêché si longtemps puisque la petite était arrivée tardivement. Cet instinct qui a pour envers celui du mal de mère, celui-là qui était lové tout au fond d'elle et qui parfois tordait les tripes quand brutalement elle était saisie de l'angoisse que Malia ne disparaisse, et alors le mal se répandait comme une tache folle, prenait le ventre, agrippait même les reins, le dos. Malia partirait, la quitterait, beaucoup trop tôt, c'était sûr, alors qu'elle ne serait pas encore prête. Qu'elle ne le serait jamais, prête, à ce départ. Jamais, elle le savait, mais cela ne changeait rien.

Ce fut un déchirement d'une violence inouïe. Inimaginable, impensable.

De son côté, Malia l'avait bien imaginé et pensé, ce que serait pour sa mère cette séparation précoce. Depuis l'enfance lointaine, depuis les stations silencieuses au fond du jardinet de Chartres, depuis les étés ennuyeux et solitaires entre sa mère et les livres, elle avait toujours raisonné son départ possible, certain, et une vie nouvelle. Une vie qui serait la sienne. Curieusement. Oui, c'était une curieuse pensée qui lui venait ainsi spontanément, sans qu'elle sache d'où, au juste : une vie qui serait sienne. Comme si celle-là, de tous les jours, ne l'était pas, la sienne.

L'été qui avait précédé son départ de Bures, ces brûlants mois de juillet et d'août 1955 où l'on ne faisait que chercher l'ombre et la fraîcheur, pas d'incursions dehors, pas de distractions de plein air, la mère et la fille s'étaient attardées bien souvent, après le repas, en tête à tête autour de la table de la cuisine. Matteo et Silvio avaient quelques représentations sur les plages du Nord, Berck, Quend-Plage-les-Pins, Fort-Mahon-Plage, Le Touquet, Montreuil-sur-Mer. Angèle reprenait les robes trop petites de l'été dernier et en faisait des jupes ou des corsages ; entre 16 et 17 ans, Malia avait grandi et forci. Elle rapiéçait du linge, confectionnait des torchons dans un vieux drap et ses yeux étaient rougis par les nuits sans sommeil à l'idée de la prochaine séparation. La table était débarrassée, la toile cirée essuyée, la vaisselle faite, quelques paroles anodines échangées entre le bruit des assiettes que l'on rangeait et la porte du buffet qui grinçait. On se taisait, un fond de tisane refroidissait dans les tasses, du fenouil, Angèle avait des problèmes de digestion. Malia prenait la main de sa mère, caressait les doigts noueux :

– Je t'écrirai souvent, toi aussi, tu aimes bien, n'est-ce pas ? Tu aimes les lettres ? Je te raconterai tout, ma vie, Paris, les études, les nouveaux amis…

Angèle hochait la tête :

– Tu nous oublieras, oui… C'est ça que tu feras…

– Maman, grondait doucement Malia, Paris, ce n'est pas le bout du monde !

Angèle murmurait des choses indistinctes, baissait la tête, se frottait l'œil du poing, longuement, comme les enfants.

Et on ne savait plus qui des deux était la mère et qui la fille.

*

Malia à Angèle

2 mars 1956

Chère maman, il faut que je te dise, je me suis inscrite aux Jeunesses communistes de mon quartier. J'ai beaucoup discuté avec Nina, ces derniers temps, du XXe Congrès du PCUS. Vous en avez forcément entendu parler à la radio : les communistes d'Europe ont décidé d'éliminer la vraie PLAIE du communisme, le culte de la personnalité (Staline, évidemment). Est-ce que tu comprends l'importance de cela ? Nina ET Robert approuvent ma décision (même si lui n'est pas adhérent). Maman, j'ai ma CARTE ! Je suis sûre que cela fera plaisir à papa. Nous vivons dans une société injuste et je crois de plus en plus, à mesure que je réfléchis, que le monde doit*

* Parti communiste de l'Union soviétique.

changer, que les biens peuvent être plus justement répartis. Et puis une fois qu'on a dit cela, on ne peut pas rester les bras croisés, à attendre que les choses se fassent toutes seules. Non, il faut s'engager. Crois-moi, maman, même si tout cela te paraît du charabia, je fais ce qui me paraît bien. Aujourd'hui, l'engagement juste, c'est le parti communiste. J'attends avec impatience et, je l'avoue, une certaine appréhension, la première réunion mardi prochain. Tu sais bien pourquoi… Il faudra que j'explique mon adhésion, que je parle en public!

Ta Malia qui t'embrasse

Angèle à Malia (carte postale, « Bures-sur-Yvette, La Poste, »)

7 mars 1956

Ma petite Malia,

Ton père est content que tu t'inscrives. Il dit que ça au moins, c'est pas des triturations de la tête. Il aimerait bien te voir, mais il veut pas venir à Paris. Il pourra pas y aller, il faut que tu viennes. On te paiera le train. J'ai fait de la confiture d'oranges, 3 pots, c'est pour toi. Et puis il fait encore froid et j'ai un reste de molleton. Pour la réunion, t'as qu'à pas parler, tu écoutes les autres, en plus tu apprendras.

Mille affections de

Ta mère

Malia à Angèle
18 mars 1956
J'ai eu ma première réunion des JC du Ve hier. Intéressant, sauf que tout le monde parle en même temps. J'étais morte d'inquiétude ! Avec moi, il y avait deux autres nouveaux, sympathiques. Le chef de section nous a demandé de nous présenter et de dire pourquoi nous étions là. Tu me vois d'ici, le cœur battant à tout rompre ! Les deux autres l'ont fait sans aucun problème, Jean, chef de chantier, Roger, instituteur. Quand est arrivé mon tour, j'étais déjà si rouge que le chef de section a dit : « Il y a aussi Amalia qui nous rejoint ce soir et que nous accueillons avec grand plaisir. » Et il a enchaîné directement sur l'ordre du jour. Ouf ! À la fin, je suis allée le voir pour le remercier, il m'a fait un grand sourire et m'a dit : « On n'est pas là pour que les gens se sentent mal à l'aise. » Je l'aurais embrassé !*
Et c'est toi que j'embrasse, ma gentille maman,
Malia

Malia à Angèle
27 mars 1956
Chère maman,
Voici de bonnes nouvelles : non seulement mes « cours

* Jeunesses communistes.

de rien », comme dit papa, m'ont valu les félicitations de mes professeurs, mais ma « tête de mule » m'a conduite à m'inscrire finalement non pas à un cours de dactylo, mais à un cours du soir de russe ! Ne t'inquiète surtout pas, j'ai une bourse pour payer ces cours (par le Parti, on peut apprendre le russe), JE N'AI RIEN À PAYER. Nina m'a encouragée dans ce projet et c'est même elle qui m'a donné le tuyau de la bourse offerte par le Parti aux jeunes. Je sais déjà l'alphabet, évidemment, et puis quelques mots, je te les donne en mille « camarades », « travailleurs », et je sais aussi dire « je t'aime »... L'essentiel pour bien commencer dans la vie, en somme ! Comme je te le disais, Gisèle est souvent au théâtre, le soir, ou à des répétitions. Encore une fois, ne te fais pas de souci si je ne viens pas souvent. Bures, c'est loin, et quand je t'ai vue arriver avec les chaussures toutes crottées l'autre jour, je m'en suis voulue d'avoir insisté pour que tu viennes me rejoindre au Luxembourg. Mais aussi, la gare est juste à côté du jardin, j'avais vraiment envie que tu rencontres mes petits bouts de chou. Alors comment les trouves-tu ? Tu sais, ce sont des diables, mais ils me réchauffent le cœur ! J'ai beau être épuisée de mes journées de travail, quand je sors de la bibliothèque Sainte-Geneviève, je cours presque jusqu'à la rue Malebranche tellement je suis heureuse de les voir !

Maman, je ne pourrai sûrement pas venir avant quinze jours, dimanche, j'ai les petits et samedi, j'ai trop de travail. Nous n'avons pas fini la confiture, nous en avons encore un pot, de quoi tenir…

Je t'embrasse de tout mon petit cœur aimant,

Ta fille chérie

*

Au cours de ce fameux été 1955, le dernier avant la séparation, Angèle et Malia s'étaient promis de s'écrire, beaucoup, tout le temps. On s'était juré une correspondance presque continue, quasi quotidienne. Malia aurait promis n'importe quoi, un échange à jet continu, une conversation ininterrompue. Pour faire plaisir à sa mère. Pour faire comme si elle ne partait pas vraiment, comme si la vie allait simplement suivre sa courbe, en douceur, comme si Angèle n'en deviendrait pas folle, comme si tout continuerait comme avant. Pour partir le cœur aussi léger qu'elle l'aurait voulu.

Pour Angèle, c'était un pis-aller, cette promesse de correspondance, à laquelle elle s'accrochait comme à une bouée de sauvetage le temps qu'il lui restait à vivre tant que Malia serait là. Parce qu'après, elle ne vivrait plus. C'était tout. Elle survivrait, en attendant des lettres et en en écrivant puisqu'elle savait un peu. Matteo la raillerait, son attachement excessif à la petite le crispait, elle le sentait bien.

Angèle n'en avait pas tant fait quand Silvio était parti pour le service, en juin. Mais Silvio n'était pas son fils. Et puis même, ça n'avait rien à voir, rien. Elle avait peu d'éducation, elle écrivait mal, ça lui prendrait du temps, Matteo ne comprendrait pas qu'elle ne soit plus aux petits soins pour lui qui se sentait vieillir. Elle ne le serait pas, elle ne ferait que penser à Malia, elle le savait déjà. Il faudrait un peu se cacher, comme les alcooliques, aller en catimini à la rencontre du facteur, prendre ce qu'il apporterait, lui donner des bouts de lettres écrits en douce, attendre le surlendemain. Se faire du souci. Elle savait tout ça, elle s'y était résolue, il n'y avait pas le choix.

Plus que trois semaines, plus que deux, les nuits sans sommeil, dehors le soleil implacable, les cosses de colza qui éclataient dans la chaleur avec un petit claquement sec, les champs de pois cassés qui séchaient sur pied, l'herbe qui jaunissait. Et ce départ qui approchait dans un silence fracassant. Une semaine.

Le terme approchant, Angèle reprit courage. Il en fallait. On alla ensemble chez le papetier faire provision de blocs à lettres lignés, de cartes postales blanches prétimbrées, d'enveloppes et de planches de timbres. Parfois, le courage lui manquait quand même, le ventre se serrait, la tête lui vrillait, mais il ne fallait rien montrer, Malia avait dit d'être brave. Angèle se claquemurait dans sa chambre et fermait bruyamment les volets, prétextant la chaleur. Dans l'ombre, elle essuyait une grosse larme, ravalait un vilain sanglot. À côté, Malia chantonnait en préparant ses affaires. Le départ proche la rendait gaie comme un pinson.

Un jour, ce fut le 1er septembre. Malia aida sa mère à essuyer la vaisselle du déjeuner, rangea les assiettes dans le buffet, fit mine d'écouter à la radio les arpèges volubiles d'Yvette Horner que sa mère adorait. Dans le chemin qui ralliait la nationale, avec sa petite valise, elle eut presque envie de courir, tant la joie l'assaillait par bouffées.

Elle prit l'autocar de 13 h 10 pour rejoindre la gare de Bures.

Le soir, Angèle fut étonnée d'être encore en vie. Elle tira un pliant devant la porte et se servit un petit verre de Suze. Elle tourna le bouton de la radio et mit le feuilleton de 20 heures. Matteo et Silvio n'étaient pas là. C'était la première fois qu'elle buvait seule. L'alcool lui fit du bien et le feuilleton aussi. Le surlendemain, le facteur arriva avec une lettre.

Malia écrivit comme elle l'avait promis. Régulièrement. Avec constance et générosité. Elle se donna dans ses lettres à sa mère, avec la fougue et la loyauté qui étaient son partage. Angèle répondait, écrivait comme elle le pouvait, sans chercher à faire des phrases qu'elle ne savait pas faire, mais en cherchant par ce fil ténu d'une écriture qu'elle maîtrisait mal à maintenir celui de l'amour qu'elle voulait maîtriser entièrement. Parce que tout lui échappait.

Au début, Malia joua le jeu. Celui de la correspondance croisée, des sentiments échangés, de la conversation suivie. Avec le temps, les choses changèrent.

La relation épistolaire donne un autre regard et une autre distance. Malia n'avait jamais reçu de lettres de sa mère.

Au premier printemps, elle fut brutalement confrontée à cette nouvelle distance.

*

Angèle à Malia

30 mars 1956

Eh bien oui, j'étais bien contente de les voir, les petits. Mais tu m'as dit que la rue où ils habitaient, c'est pas loin du jardin. Alors je me suis dit après, comme dirait ton père, pourquoi que j'aye pas le droit d'aller saluer la patronne de ma fille ? La prochaine fois que je viens sur Paris, j'y rendrais bien volontiers mes hommages. Je te prie de lui dire, s'il te plaît, parce que c'est pas normal, comme situation que la mère de ma fille elle peut pas saluer sa patronne. Alors demande-lui pour qu'on prenne un rendez-vous.

Bien des affections de

Ta maman

Malia à Angèle

4 avril 1956

Chère maman,

J'ai bien reçu ta lettre. Surtout ne te fais pas d'idées concernant Nina et Robert. Ce sont des gens très accueillants et ils seront sûrement ravis de te rencontrer. Mais cela me paraît un peu difficile parce qu'ils travaillent l'un et l'autre toute la journée. C'est d'ailleurs pour cela que je garde les enfants et la plupart du temps quand je suis avec eux, c'est que les parents ne sont pas à la maison. Tu vois, ça voudrait dire que tu viennes le soir, ce qui est un peu bizarre. Après, il te faudrait reprendre ton train à la nuit tombée, tu n'aurais plus la correspondance de l'autocar à Bures. Enfin, tout cela me semble compliqué,

Je t'embrasse bien fort,

Malia

Angèle à Malia

7 avril 1956

Ma petite fille,

Ça m'est égal de revenir la nuit, comme tu sais, je n'ai pas peur. Et pour le car, je peux revenir à pied. Comment tu crois qu'on faisait pendant la guerre qu'il y avait pas de bus du tout? Ça me fait pas peur. Donc, s'il te plaît, prends le rendez-vous et dis-moi quand c'est. Et n'oublie pas que t'es pas majeure, ton père il trouve ça normal.

Très affectueux de

Ta Mère

Malia à Angèle

12 avril 1956

Chère maman,

Surtout ne prends pas mal ce que je te dis. Mais tu sais, en y réfléchissant, je ne suis pas sûre que tu apprécierais vraiment ma patronne. Peut-être la trouverais-tu un peu «chichiteuse», comme tu le dis de la fiancée de Silvio (alors qu'elle est en réalité une personne tout à fait simple). Ils ont une femme de ménage qui est là toute la journée, qui fait aussi le repas de midi et qui prépare le dîner des enfants. Mais c'est Nina qui les fait dîner et d'ailleurs elle risque d'être un peu occupée à cette heure-là. Il y a aussi un professeur de piano pour Aude et aussi une répétitrice d'anglais. Et puis Nina et Robert sortent très souvent le soir. Et puis cela va être les vacances de Pâques, ils vont partir pour 15 jours, peut-être plus. Maman, s'il te plaît, réfléchis bien, nous en parlerons tranquillement quand je viendrai le dimanche de Pâques. Je pense qu'il n'y a pas d'urgence à cette visite.

Je t'embrasse de tout cœur,

Ta fille Malia

Angèle à Malia (carte postale prétimbrée)

15 avril 1956

S'ils partent deux semaines, est-ce qu'ils te paient quand même ? Parce qu'il y a des lois depuis 1936, ça serait pas normal autrement. Toi tu comptes là-dessus et eux ils s'en vont en vacances ! Non, je viendrai après, ne t'inquiète pas, quand ils seront de retour. Et puis ne t'inquiète pas, j'apporterai un pot de coings et un petit quelque chose. On t'attend dimanche,

Ta maman

Malia à Gisèle

18 avril 1956

Ma chère Gisèle,

Pardonne-moi de te déranger pendant tes vacances chez ta tante. Tout d'abord, je te prie de la saluer pour moi et de lui transmettre mon bon souvenir. À Paris, il fait grand soleil alterné de giboulées. Hier, giboulée de neige ! Notre petit chez-nous me paraît immense sans toi. Je me pelotonne dans mon lit avec un livre et alors ça va mieux… Ce n'est pas pour te raconter mon petit quotidien que je t'écris, mais pour te soumettre un problème, un cas de conscience, je ne sais plus comment l'appeler. Figure-toi que ma mère s'est mis en tête de vouloir rencontrer Nina. Et, comme tu la connais, elle n'en démord pas. J'ai eu beau lui remontrer toutes les difficultés pratiques, relationnelles, etc. que cela poserait, elle ne veut rien entendre. Je ne sais plus que faire. J'aimerais tellement que tu sois là pour que nous puissions parler et, comme d'habitude, trouver une solution grâce à tes conseils avisés ! Gisèle, je ne peux pas imaginer ma mère prenant le thé avec Nina, rue Malebranche. Cette simple idée me met dans tous mes états. Oh, Gisèle, ma chère Gisèle, que dois-je faire ? Je t'en prie, réponds-moi vite et, encore une fois, pardonne-moi de troubler ainsi tes vacances.

Je t'embrasse de tout cœur,

Malia

Gisèle à Malia

21 avril 1956

Chère Malia,

J'ai lu attentivement ta lettre et je te réponds tout de suite. Je te réponds, mais je ne sais pas si je t'apporte une réponse. Tu verras, il y a une nuance. Quand je te dis que «j'ai lu attentivement», je veux dire que j'ai lu entre les lignes. Le «douloureux problème» dont tu parles, ce n'est pas ta mère. Il est en toi et toi seule pourras le résoudre. La vérité, c'est que tu as honte de ta maman. Tu as honte d'elle parce qu'elle vient d'un milieu différent, plus modeste, bien plus modeste, que Nina et Robert, qu'elle et eux n'ont pas les mêmes manières de vivre, de penser, de se comporter, de raisonner. Et cela, c'est une réalité que tu dois accepter puisque, bizarrement, tu es des deux côtés. Tu viens de ce milieu modeste et tu as toujours eu des aspirations différentes. Déjà enfant, tu te posais des questions sur ce qui te séparait de tes parents. Tu avais 6 ans, moi 9 quand nous nous sommes connues. Tu étais déjà différente, je le sentais, c'est pour ça que nous sommes devenues amies. Il se trouve que tu as trouvé chez Nina un milieu, une écoute qui te correspondent. C'est une grande chance que tu dois, bien sûr, cultiver. Mais d'une part, la première des qualités qui font les «êtres supérieurs» dont tu parles si volontiers à propos d'eux, c'est non seulement la tolérance, mais, plus encore, la curiosité et l'absence de jugement. D'autre part, n'oublie jamais que ta maman a en elle une qualité que je place au-dessus de tout: l'intelligence du cœur. Malia, organise cette rencontre puisque cela fait plaisir à Angèle. Fais-le! Je te fiche mon billet qu'elles t'en sauront gré, l'une et l'autre.

Je t'embrasse tendrement,
Gisèle

Malia à Angèle
26 avril 1956
Chère maman,

J'ai organisé les choses avec Nina. Elle propose de quitter son travail plus tôt jeudi prochain, le 3 mai, et t'invite à prendre le thé. Je t'attendrai à la gare du Luxembourg au train qui arrive à 16h46 (il part de Bures à 16h02, je crois). Mets ta robe verte, tu sais avec des losanges, elle te va si bien, et puis elle fait printemps.

Je t'embrasse, maman, à jeudi en huit donc,
Malia

Malia à Nina
4 mai 1956
Chère Nina,

Je ne saurai jamais assez vous remercier pour ce sympathique goûter que vous nous avez permis de passer ensemble, avec ma mère. Elle était ravie de vous rencontrer, comme je vous l'avais dit, elle y tenait beaucoup et cela a été, pour elle, un moment d'exception dont elle se souviendra. J'espère de tout cœur que vous lui pardonnerez la simplicité de ses manières, je dois vous avouer que par instants, je n'ai pu m'empêcher d'être un peu confuse. J'espère que vous ne lui en voudrez pas. C'est une très bonne personne.

Merci encore pour elle et pour moi,

Bien affectueusement,

Malia

Angèle à Malia,

4 mai 1956

Ma chère fille,

J'étais bien contente, elle est gentille, ta patronne, bien élevée et tout, je l'ai dit à ton père. Dommage que ma tarte était cassée surtout que j'aime pas trop son « quèque », comme elle dit, c'est trop sec, on peut plus parler, ça envoie des miettes. Enfin, ma tarte était brisée, je peux rien dire, la prochaine fois j'y apporterai ma pâte de coings. Dis donc, elle parle beaucoup, quand même. Et puis la guerre en Algérie, on a écouté les nouvelles ce midi, on craint pour ton frère qu'il doive y aller. Allez, on t'embrasse bien,

Tes parents

*

L'autre Angèle revenait d'un coup. Celle que Malia aurait voulu oublier. Celle qui lui faisait venir la honte, depuis si longtemps, alors même qu'elle ne savait pas encore mettre de nom sur ce sentiment qui l'envahissait parfois devant les autres. En privé

Malia ne jugeait pas, elle n'avait pas l'occasion, elle ne la voyait plus, elle était trop près, prise dans l'odeur qui était douce, celle qui englobait sa mère avec la maison, la soupe, l'eau de Javel, le tabac de Matteo, le « tous les jours ». Et les gestes, les paroles, les expressions étaient pris dans cette vaste émanation du quotidien où tout allait bien. Mais de loin, c'était différent, c'étaient les yeux des autres. C'était une autre Angèle. Avec un corps, un timbre de voix, un ton, des manières. Difforme, ridicule.

Angèle qui s'efforçait de paraître, qui, tentant d'éviter les fautes de français, se lançait dans des tournures approximatives qui parfois lui ressemblaient si peu – « mon époux » pour « mon mari », « n'est-il pas ? » pour « pas vrai ? », « par autrefois » pour « dans le temps » – pensant qu'ainsi elle trompait son monde, qu'elle faisait « dame », parfois basculaient dans de plaisants néologismes que l'interlocuteur relevait d'un hochement de tête ou d'un sourire. Parfois encore, Angèle risquait un terme parfaitement fautif et l'accent décidé avec lequel elle le prononçait était en exacte proportion avec l'énormité de l'erreur. Angèle sermonnait ainsi sa fille en lui recommandant « d'être bienseyante avec ses amies », tout comme elle s'exclamait « Tant pire ! » et taxait « d'ingrade » telle voisine à qui l'on avait rendu service.

Angèle qui adorait Luis Mariano, et qui chantonnait à tue-tête, en repassant les chemises de Matteo, « Riquita, petite fleur de Java », en roulant exagérément le « r » de fleur et de Riquita. Angèle qui, en écoutant les informations sur Europe n° 1, hochait la tête d'un air entendu et concluait invariablement par « Et dire qu'on avait eu Blum qu'était pour l'ouvrier ! ». Angèle qui était pour les congés payés, mais contre les vacances, « c'est des trucs pour les riches, moi je m'ennuierais ».

Un jour, sa patronne l'avait prise au mot.

– Prenez donc vos quinze jours, Angèle, avec votre famille, cela vous fera du bien !

Madame Édith l'y avait obligée, Angèle ne voulait pas quitter son tablier, elle répétait :

– Mais non, Madame, j'vous assure, j'ai pas besoin !

Il avait fallu que Madame Édith se fâche :

– Enfin, si vous ne le faites pas pour nous, pensez au moins à la petite, elle ressemble à un cachet d'aspirine !

L'argument avait fait mouche, c'était d'ailleurs le seul qui le pouvait. Madame Édith avait même payé les billets d'autocar. Angèle, Matteo et Malia étaient partis un 13 juillet pour Honfleur où Madame Édith et son mari possédaient une villa qu'entretenait un couple de domestiques. Ils avaient logé tous les trois dans la même chambre, dans la coquette maison de gardiens occupée par le couple. Le soir, de dessous ses draps, Malia avait regardé sa mère dégrafer son corset rose, avec les petits bourrelets de peau qui sortaient entre les lacets, la poitrine flasque l'avait un peu dégoûtée, elle avait vu son père en caleçon, elle l'avait entendu taper sur l'oreiller en disant « Allez viens, poulette ! » et elle s'était précipitée sous l'édredon, c'était comme s'il avait tapé devant elle sur les fesses de sa mère. Plus tard, ils ronflaient l'un et l'autre et elle avait eu du mal à s'endormir.

Malia avait adoré voir la mer, mais elle craignait l'eau, Angèle et Matteo encore plus, et ils ne s'étaient pas baignés malgré le grand soleil. Angèle trouvait les femmes en bikini « inconvénientes », et elle en détournait fermement Malia par la main. Après s'être extasiée devant la mer, « Et dire qu'y en a qui vont dessus toute cette flotte ! », Angèle s'était ennuyée à cent sous de l'heure, elle avait trouvé les vacanciers « fiers », des gens « qui se croyaient », « qu'on voyait bien qu'y faisaient jamais rien de leurs dix doigts ». La seule chose qu'elle avait appréciée, c'était de tremper le bout de ses pieds dans l'eau froide, ça faisait du bien à ses cors.

Le soir du 14 juillet, Angèle et Matteo avaient bien dansé un peu sur le mail et Malia avait beaucoup ri quand Matteo avait marché sur le pied de sa mère, lui arrachant un hurlement de douleur suivi d'une bordée d'injures qui avait fait se retourner tout le monde.

Finalement, ils étaient revenus au bout d'une semaine, plus convaincus que jamais que l'ennui des vacances est la mère de tous les vices auxquels ils ne succomberaient pas puisqu'ils ne prendraient plus jamais de vacances. Trop ennuyeux, trop fatigant, au bout du compte, de ne rien faire.

*

Malia à Gisèle

5 mai 1956

Ma chère Gisèle,

J'ai hâte que tu reviennes. Nos conversations me manquent plus que jamais. Grâce à toi, j'ai réussi à surmonter ma honte, tu avais dit le mot, il s'agissait bien de cela. Ma honte, Gisèle, c'est affreux à dire. J'ai organisé cette rencontre entre Nina et ma mère. Il y a eu un goûter. Cela a eu lieu, c'est derrière moi, Dieu merci. Et merci à toi aussi de m'avoir permis de sauter le pas. Mais cela a été pour moi un cauchemar, autant te le dire. Imagine ma mère, à qui j'avais dit de mettre la robe verte que je lui ai offerte l'an dernier, arrivant avec, par-dessus la robe, un affreux tricot gris sans manches, des bottines en caoutchouc et du rouge à lèvres, grands dieux ! Elle qui n'en met jamais ! Elle avait apporté une tarte dans un torchon noué. En la déballant dans la cuisine, la tarte s'est brisée en mille morceaux, avec la crème pâtissière, il y en avait partout. Elle a demandé (sur un ton !) à la cuisinière de lui donner « une petite éponge savonnée » pour nettoyer sa robe, tout en lui donnant du « Madame » et du « je vous prie ». La tarte n'était plus qu'un tas informe lorsqu'elle est arrivée sur la table. Par politesse, on en a servi un peu à tout le monde. Ma mère a décliné, a dit que c'était pour la petite, les enfants n'en voulaient pas, elle les a presque obligés à la manger. À croire qu'elle n'a jamais eu d'enfants ! Je voyais leurs regards qui allaient de ma mère à moi, ça me faisait tellement mal, Gisèle. J'aurais voulu être sous terre. Les deux seules à être parfaitement à l'aise, c'étaient ma mère et Nina ! Mais quand ma mère a demandé, sur un ton pointu, si c'était « légal de pas payer ses employés quand on partait en vacances », j'ai cru que mon cœur allait exploser. Enfin, grâce à l'immense gentillesse de Nina, ce supplice a eu une fin, grâce à Dieu ! Nous parlerons de tout cela quand tu reviendras, j'ai besoin de comprendre ce qui m'arrive. Tout me paraît très compliqué, subitement, dans ma vie.

Je t'embrasse bien fort,

Malia

Gisèle à Malia

7 mai 1956

Ma petite Malia,

Peut-être nous serons-nous revues avant que tu ne reçoives cette lettre, mais tant pis, j'ai envie de te répondre tout de suite. Tout ce que tu me décris de votre goûter chez Nina, j'aurais pu le deviner, j'aurais presque pu décrire la scène à ta place. Et alors ? Tu le dis toi-même : ta mère et Nina étaient parfaitement à l'aise. Pourquoi crois-tu qu'elles l'étaient ? Parce qu'elles n'ont cherché ni l'une ni l'autre à être différentes de ce qu'elles sont dans leurs vies. Ce qu'elles sont ? D'abord chacune des femmes formidables. Des femmes « bien ». Respectueuses et respectables. Ce qui te trouble si fortement, il me semble que ce n'est pas vraiment la « honte » que tu décris, « honte » de ta maman, de son manque d'éducation, de son origine sociale. Cela, tu es assez intelligente pour le surmonter. Ce qui te bouleverse, c'est de te sentir si profondément différente de tes parents, et même de ton frère Silvio. À cela, je n'ai pas de réponse à t'apporter, je pense que tu la trouveras peu à peu, de toi-même. Tes parents ne sont responsables en aucune manière de ce que tu ressens. Chasse donc définitivement tout sentiment de honte. Attache-toi à devenir ce que tu es. C'est tout le bonheur que je te souhaite, que je nous souhaite à toutes les deux d'ailleurs, à moi aussi qui ne suis pas en reste quant aux parents… Je t'embrasse tendrement, ma petite Malia, tu es un peu ma petite sœur, tu vois, les liens familiaux ne sont souvent pas ce que l'on pense. J'en sais quelque chose, moi aussi, tu ne crois pas ?

Gisèle

*

Gisèle avait 5 ans quand sa mère était partie un jour avec un officier de marine, le plus proche ami de son mari. L'officier laissait de son côté une femme et deux garçons, deux adolescents de 14 et 16 ans. Le couple adultère s'envola un beau matin sans laisser d'adresse, toute la ville en parla pendant quelques semaines et puis on n'en parla plus. Le visage fermé du capitaine dissuada les rieurs, les bavards et les commères de Cherbourg. La petite Gisèle pleura bien un peu, on lui dit que sa mère était en voyage, elle demanda quand elle allait revenir, on lui répondit « dans longtemps ». Elle demanda si c'était loin, longtemps. On lui dit « oui ». Elle dit « alors, elle est morte ? ». On lui dit « oui ». Et elle ne posa plus de questions. Elle ne pleurait plus, ne jouait plus avec ses poupées. Elle restait silencieuse des heures entières à regarder par la fenêtre et son père se sentait si maladroit avec sa tristesse et le malheur de son enfant. Un jour, il emmena la gosse à Chartres où vivait sa sœur Édith, avec son notaire de mari, de braves gens, qui avaient de quoi, sauf des enfants pour animer leur grand jardin. Gisèle se jeta dans les bras de cette grosse tante qui sentait le talc et l'eau de rose. Elle aima le jardin et ses coins secrets derrière le grand laurier noir. Lui, le capitaine, reprit la mer. Il écrivit, d'abord, de chaque escale, des longues lettres où il racontait les pays. À l'anniversaire, il envoyait un colis, qui arrivait quelques jours plus tôt ou plus tard. Puis les lettres se raccourcirent, puis elles s'espacèrent, puis ce furent des cartes en couleurs, puis en noir et blanc. Et il y eut un soir où tante Édith, assise dans le salon après le dîner, soupira profondément en lissant les plis de sa jupe grise :

– Cela fait six mois que mon frère n'a pas donné de nouvelles à la petite.

Et la petite, qui allait sur ses 10 ans, recroquevillée avec le chat dans son fauteuil préféré, se dit dans son coin : « Je m'en fiche, bientôt, c'est mon anniversaire et je vais avoir un cadeau. » Mais l'anniversaire passa, il y eut des petits camarades au jardin, mais il n'y eut pas de colis. Seulement une petite carte postale figurant une plantation d'ananas avec écrit « SOUVENIR DE LA MARTINIQUE », à laquelle était rajouté à la main « et de ton papa qui t'embrasse ». L'année suivante non plus. Gisèle avait 11 ans quand, pour la deuxième fois, elle n'eut pas de colis, et pour la première fois, pas de carte postale. Elle était solitaire et sauvage, exaltée et vagabonde. Elle se racontait des histoires à haute voix, adorait se déguiser et inventer des pièces de théâtre devant le miroir de sa chambre. Toute seule, sans public, et globalement elle n'aimait pas ses camarades d'école qu'elle trouvait bêtes. Seulement cette petite, la fille de la bonne, qui venait parfois, qui avait trois ans de moins qu'elle et qui l'intriguait parce qu'elle ne cherchait pas à lui plaire, à elle, la fille de la patronne et en plus son aînée. La petite Malia était silencieuse, menue et ardente comme un tison. Elles s'étaient mutuellement prises sous leur protection. Gisèle, la grande, la blonde, la délurée. Malia, la petite noiraude aux allures de chat sauvage.

C'est à cette haute époque de l'amitié fusionnelle, celle qui se passe de mots, que sa tante Édith et son oncle décidèrent de trouver à Gisèle une bonne pension où l'on ferait de l'herbe folle montée en graine une jeune fille accomplie. Ce n'était sans doute pas le meilleur moment pour l'arracher à sa famille, mais c'est ce moment que choisit la tante Édith.

À la rentrée 1948, Gisèle entra donc comme interne à la Maison des Petits Oiseaux, à côté de Palaiseau, non loin de Paris.

Restée solitaire dans la maisonnette de Chartres, la petite d'Angèle dépérissait à la maison et s'ennuyait à l'école. Comme elle avait le tableau d'honneur à chaque trimestre et que la directrice voulait lui faire sauter une classe, Madame Édith proposa d'offrir la pension à la fille de sa bonne, en même temps qu'à sa nièce la compagnie de son «cher petit cœur», comme Gisèle appelait Malia dans ses lettres hebdomadaires. Pour toutes les deux, ce fut une aubaine. Pour Angèle, une catastrophe. Mais une telle proposition ne se refusait pas et, à la rentrée suivante, la petite Malia rejoignait la pension. Elle sautait une classe, entrait directement en quatrième à l'âge de 12 ans. Les frais de scolarité étaient entièrement pris en charge par les patrons de sa mère.

En septembre 1949, il fit encore beau et chaud. En servant le café sous le marronnier, Angèle affichait un sourire de circonstance, ensoleillé, destiné à sa généreuse patronne. Octobre passa, le ciel se couvrit, et aussi le visage d'Angèle. Sans sa fille partie pour la pension, Angèle flétrissait comme une plante privée d'eau. Fin octobre, l'insolente mine de paysanne poitevine avait fait place à une blancheur inquiétante. Elle semblait maintenant se traîner, comme si son corps était devenu trop lourd. Son visage égaré, son regard creux et dévasté finirent par inquiéter Madame Édith. Elle lui paya le voyage une fois, à la Toussaint, pour aller jusqu'à Palaiseau. Angèle prit le train jusqu'à la gare d'Orsay puis, comme on le lui avait bien expliqué, l'autobus 84 jusqu'à la gare du Luxembourg. Elle mangea son sandwich sur un banc du quai pour ne pas risquer de manquer son train. Ce fut un jour de bonheur. Malia, elle, était épanouie et heureuse, elle travaillait bien, faisait l'admiration de ses professeurs, s'était fait de nouvelles amies. Surtout, elle avait retrouvé sa presque sœur, sa Gisèle. Angèle s'en retourna le soir par les mêmes moyens, bien rassurée et bien triste à la fois. Malia était heureuse loin d'elle.

Une semaine après cette équipée, elle était de nouveau atteinte d'une profonde mélancolie. Elle recommença à se traîner, à avoir des douleurs dans le dos. Elle ne se plaignait pas, mais on pouvait lire dans ses traits comme à livre ouvert.

À l'entrée de l'hiver, elle avait le teint jaune.

Malia revint pour les fêtes et cela alla de nouveau mieux. Ses hommes étaient là aussi, Matteo et Silvio, elle retrouva de la gaieté. Il y eut une grande parenthèse d'entrain. Et puis Malia retourna à la pension et Angèle retomba presque aussitôt dans son marécage de tristesse. À la mi-janvier, elle dut s'aliter pour une mauvaise grippe.

Matteo étant reparti sur les routes avec son fils, Madame Édith prit sa bonne chez elle, il y avait une chambre de service. Un jour, la fièvre monta si fort qu'elle fit des convulsions. Madame Édith la fit voir par son propre docteur. Un temps, on craignit une fluxion de poitrine. Et puis la fièvre tomba, peu à peu l'appétit revint. Angèle avait honte d'être servie au lit par la cuisinière, comme une bourgeoise.

Quand tout danger fut définitivement écarté, Madame Édith vint un jour la voir dans la chambrette au papier fleuri.

– Vous êtes bien, ici, Angèle ?

– Oh, oui, Madame, il faudrait être difficile…

– Vous êtes presque guérie, le docteur vient de me le dire, je suis contente pour vous…

– Grâce à vous, Madame, bien le merci, mais…

– Mais quoi, ma fille ?

– Je retomberai malade, je peux pas être loin d'elle comme ça, elle a besoin de sa mère, ma fille, j'ai bien peur que je retombe en langueur.

– Allons, Angèle, vous dites deux choses à la fois : est-ce vous qui avez besoin d'elle ou elle qui a besoin de vous ? Elle est parfaitement heureuse à la pension, vous me l'avez dit vous-même !

Et Angèle s'était mise à pleurer.

C'était la première fois qu'elle versait une larme depuis la mort de son père, quelques années auparavant. Elle en avait oublié le goût. Elle se sentit bien sotte, mais elle ne se retint pas.

Elle ne pouvait pas être loin de Malia. C'était tout. C'était comme ça, elle ne pouvait pas expliquer. Elle en crèverait.

Monsieur et Madame le comprirent. Ils s'employèrent même à le faire comprendre à Matteo qui avait commencé par opposer un refus catégorique à l'idée de déménager, arguant de ses relations chartroises pour les tournées, le travail du métal et le jardinage, du tort qu'il ferait à Monsieur en le laissant tomber comme ça en plein milieu d'année.

Monsieur déclara qu'il trouverait un autre jardinier, Madame une autre bonne, bien que cela serait très difficile de trouver l'équivalent. Il l'assura aussi que les relations et les occasions de représentation se recréeraient facilement ailleurs. Il finit par convaincre en l'assurant que, foi de notaire, Angèle ne survivrait pas à une année supplémentaire loin de sa fille.

On chercha un logement dans les environs de la pension et on le trouva. On chercha un acquéreur pour la maisonnette du Quartier de Sée à Chartres et on le trouva.

En avril 1951, à la Saint-Georges, l'époque du renouvellement des baux, on déménagea à Bures-sur-Yvette, dans la vallée de Chevreuse. Ce n'était pas loin de Palaiseau, il y avait un autocar trois fois par jour qui s'arrêtait à quelques centaines de mètres de la pension. Et il y avait l'eau froide sur l'évier.

Angèle retrouva ses couleurs.

*

Angèle à Malia

13 mai 1956

Ça y est, ton frère il doit partir en Algérie. Tu as dû savoir les nouvelles, avec ta patronne qui sait tout. Il a eu la convocation. Tout ça parce qu'il fait pas d'études et qu'il est pas chargé de famille, alors qu'il allait se marier. Ils disent « pour une durée de 9 mois » parce qu'il a déjà fait ses 18 mois, et maintenant à cause des événements, il doit y retourner. Ton père est dans tous ses états. Moi aussi, tu penses, même si sa Pauline, je l'aime pas, avec ses manières. Il peut bien attendre pour se marier, mais l'Algérie, il y a des morts. Viens donc lui dire au revoir ce dimanche.

Ta maman

Malia à Angèle

15 mai 1956

Maman, il y a une grande manifestation jeudi pour protester contre l'envoi des rappelés en Algérie. Silvio a déjà fait son service, ce n'est ni à lui ni aux jeunes comme lui d'aller faire la guerre en Algérie. S'ils veulent la faire, qu'ils envoient les soldats de métier ! Nous sommes contre cette boucherie. Nous devons être nombreux jeudi ! La manifestation partira de la Nation à 14 heures, j'y serai, bien sûr, avec les « JC Ve », dis-le à Silvio, le rendez-vous est devant le café Le Canon de la Nation. *Je viendrai quand même dimanche, bien sûr, baisers,*

Malia

Malia à Matteo

23 mai 1956

Cher papa, je ne t'écris pas souvent, mais aussi je sais que tu es le seul à qui je peux parler de cela. J'étais très déçue que Silvio ne se sente pas plus concerné par le « mouvement des rappelés » en Algérie. J'avais peu d'espoir qu'il me rejoigne à la manifestation de jeudi dernier, mais notre conversation de l'autre jour m'a affligée. On dirait qu'il part sans même savoir pourquoi il va risquer sa vie. Je ne te reproche rien, mais j'aurais aimé que tu tentes, toi aussi, de lui ouvrir les yeux. Pourquoi n'as-tu presque rien dit, alors que je sais ce que tu penses de la guerre d'Algérie ?

Je t'embrasse, mon papa,

Malia

Angèle à Malia (carte postale, Bures s/ Yvette, la Mairie)

29 mai 1956,

Ma petite fille, ton père me fait sa réponse, qu'il aime

pas écrire, comme tu sais, et qu'il est fatigué pour discuter contre Silvio qu'a toujours raison. Voilà, c'est pas compliqué. Silvio, il est parti hier, sans tralala, sauf la Pauline qui a fait son cinéma avec les larmes et le toutim. Il a promis d'envoyer une carte quand il y est. Bises de

Ta mère

*

À la pension, Malia s'était retrouvée pour la première fois avec des filles de son âge. Douze ans, treize ans. Des filles qui avaient des préoccupations de filles. Qui s'échangeaient avec passion les *Brigitte* de Berthe Bernage et cette Brigitte était celle qu'elles auraient toutes voulu être et Malia aussi. Le modèle de la vraie jeune fille, de haute moralité, méprisant les biens matériels, mais vivant dans un monde à salons, à tapis et à piano, un monde où les parents parlent correctement, n'élèvent jamais la voix, où le père chef d'entreprise dépose un chaste baiser sur le front de sa femme le matin avant de partir travailler, rasé de frais et sacoche de cuir à la main. Un monde hautement enviable, pensait la petite Malia, et qui n'avait bien sûr rien à voir avec celui qu'elle connaissait. Ce qu'elle découvrait, c'était le monde feutré et cultivé d'une certaine bourgeoisie et, à 13 ans, il lui sembla tout à coup que c'était le seul vivable. Elle ne pensa plus qu'à cela: comment y rentrer ou, plus exactement, comment s'y prendre avec ses parents pour suivre ce qui lui était apparu, non sans un certain étonnement, comme sa pente naturelle. L'enjeu était de taille. Elle sut tout de suite, de tout son instinct de petite fille sensible, qu'il lui faudrait jouer serré avec sa mère.

Cette année-là, celle de la cinquième, elle prit brusquement conscience de sa mère. D'un coup, elle la voyait de loin. Ce n'était plus son odeur, c'était son image. De loin, du monde de Brigitte et des amies de la pension, elle voyait aussi la maison arrangée sans goût, le vocabulaire simple, semé de mots rudes, un tantinet vulgaires, de ses parents. Sa mère, mais aussi son père, avec son fort accent italien, les violences intempestives de son frère, les «tournées» et les amis forains de Matteo, les beuveries parfois dans la cuisine enfumée, la toile cirée grasse. Le quasi-illettrisme. Et Angèle qui avait toujours voulu se démarquer de tout ça, sans jamais vraiment y parvenir puisque au fond, elle en était aussi, bien sûr. Malia le comprit cette même année de cinquième, un samedi qu'Angèle vint la chercher aux Petits Oiseaux. Le sentiment qu'elle éprouva, à voir sa mère évoluer au milieu des autres mères, elle ne sut pas tout d'abord de quoi il était fait. Simplement, elle ne voulut pas se trouver à côté d'elle. Angèle avec son sac élimé qu'elle portait au creux du bras pour faire dame, son manteau gris au col râpé, ses souliers bon marché déformés par les cors. Elle voulut l'entraîner vite, partir, mais Angèle restait, s'invitait dans les conversations, arborant comme un trophée le seul dont elle se prévalût, être la mère de la «première de la classe». Elle avait circulé de groupe en groupe, sa voix était criarde, ses expressions triviales, tendant une main boudinée et rouge qu'on prenait avec réticence.

– Je suis la maman de Malia... Oui, Malia, celle qui est première...Voyez-vous, c'est une enfant qui...

Les autres prêtaient une oreille agacée et polie, on se retournait sur elle. Malia aurait voulu disparaître, mais sa mère l'appelait:

– Malia, viens donc saluer la maman de... Comment qu'elle s'appelle, votre fille, déjà?

Malia s'exécutait, rouge de colère rentrée et de honte. Car c'était cela, le sentiment nouveau, inconnu jusqu'alors: la honte.

En même temps, une envie tenace: se fondre, être comme les autres. Cette année-là, Malia s'était prise à imiter follement une certaine Sabine, plus âgée qu'elle puisque Malia avait deux ans d'avance et de ce fait, était la plus jeune de sa classe. Sabine avait une vraie poitrine, portait la frange et des kilts écossais à grosse épingle, jouait du piano. Surtout, elle avait une mère élégante, jeune, à tailleur, talons aiguilles, rouge à lèvres et chignon banane. Dès qu'elle la vit, de loin, un samedi, prenant garde de ne pas se laisser voir avec la sienne, Malia tomba littéralement amoureuse de la mère de Sabine. C'était une mère comme cela qui lui était due. Au lieu de quoi, sa mère à elle était âgée, mal coiffée, mal attifée, vulgaire. C'était cela surtout qui la frappait d'un coup, vulgaire. Avant la cinquième, elle n'aurait même pas su expliquer ce que cela voulait dire. Elle comprit le mot d'un coup, en entendant parler sa mère, en la voyant se mouvoir au milieu des autres mères.

Au deuxième trimestre de cette année 1949, l'aumônier du lycée prit les filles de cinquième par petits groupes pour les préparer à leur communion solennelle. Malia fut exclue de ces réunions d'initiés, elle était trop jeune. Elle eut beau faire ses dévotions avec assiduité, l'aumônier et la supérieure ne souffraient aucune dérogation et le jour J, elle dut assister, mortifiée, toute seule au premier rang de la classe vide, au défilé de ses jeunes compagnes tout de blanc vêtues, belles comme des mariées, venant offrir l'image de leur communion au professeur de latin, Mademoiselle Aubert, et en recevoir un baiser. Malia vécut cette journée comme une stigmatisation et une honte supplémentaires, dans lesquelles la différence d'âge comptait pour moins que la différence d'origine et de milieu.

*

Angèle à Malia
13 juin 1956
Ma petite fille,
Écris mieux, s'il te plaît! On a reçu une lettre de ton frère. Il est dans le bled, il s'ennuie. J'aime mieux ça quand même. Il y a des roses plein le jardin, mais on est obligés d'attacher la biquette, elle les mange avec les piquants. Quand tu viendras, je te ferai quand même un bouquet pour chez toi. Viendras-tu te reposer à tes vacances dans ta famille?
Affections sincères de
Ta maman

Malia à Angèle
16 juin 1956
Chère maman,
L'année se termine bien: je suis reçue à tous mes examens écrits. Malheureusement, je dois repasser l'oral en septembre à cause de mon problème de trac. Je dois vraiment résoudre cela, il doit bien exister un médicament, j'en parlerai avec Nina. Enfin, je passe quand même en deuxième année de russe. Autre chose: je suis invitée en vacances dans la famille de Nina et Robert pour m'occuper des enfants pendant le mois de juillet!

N'est-ce pas merveilleux ? Je n'aurai rien à dépenser : tout est payé, le gîte, le couvert, le blanchiment, tout. Et je suis payée en plus. Avec ce que je vais gagner en un mois, j'ai quatre mois de frais d'assurés. Nous allons en Bretagne, à Belle-Île-en-Mer. Nous dormirons dans le train, Nina me paie une couchette ! Et ensuite nous prenons un bateau puisque c'est une île. Tu penses comme je suis contente ! Du coup, chère maman, je ne passerai pas l'été à Bures, tu vois, parce qu'en août, je vais devoir travailler à la bibliothèque pour préparer ma rentrée. Je viendrai les fins de semaine. Maman, je suis sûre que tu comprends, c'est une occasion unique que je ne veux pas manquer.

Je viendrai à Bures dimanche en quinze, le 29, pour le déjeuner.

Je vous embrasse bien fort,

Malia

Angèle à Malia

20 juin 1956

Ma chère fille,

Ton père et moi, nous sommes fâchés. On aurait jamais dû te laisser partir à Paris. Pour tes premières vacances, c'était normal que tu les passes dans ta famille. Et toi, non, tu files chez cette femme. Et ton problème, ce n'est pas avec une étrangère que tu le soigneras. Je te dirais qu'on est très déçus, très très déçus, après tout ce qu'on fait pour toi. Quoique c'est normal, en tant que notre fille. Viens quand même le 29, on parlera.

Ta mère

*

Cet été 56, cela faisait presque un an que Malia était partie. Une année durant laquelle Angèle était devenue étrange. Bizarre. C'était ce qui se disait, à Bures, au marché, dans les commerces.

– Elle est bizarre depuis que sa fille est partie.

Et on laissait sous-entendre quelque secret terrible, inavouable, dont on aurait entendu parler, mais dont on ne dirait rien, pas aujourd'hui. De ces secrets qu'on lit parfois dans les magazines, on se demande si c'est inventé ou si ça a vraiment existé. Et puis on décide que c'est vrai, et on éprouve une minuscule satisfaction, imperceptible, on n'ose pas se le dire, c'est arrivé à l'autre, pas à nous.

Parfois, Angèle vaguait dans la rue, son portefeuille à la main, comme si elle allait en courses, mais sans son cabas. Et puis elle n'entrait pas, elle s'arrêtait devant l'épicerie, ou devant la crémerie, ou la triperie, elle regardait la vitrine comme si elle ne la voyait pas, ses yeux s'arrêtaient sur la surface de verre, sur son reflet, son œil bombé, un peu vitreux, sur le carreau impeccable du crémier, avec derrière, les fromages amollis sur leur paille, leurs feuilles de châtaignier. Elle ne voyait pas, tournait les talons. Parfois encore, elle s'arrêtait en pleine rue, l'air égaré, portait la main à sa tête comme si elle avait oublié quelque chose, changeait brusquement de direction, se hâtait quelque part, et on sentait qu'elle ne savait vraiment où, qu'elle s'arrêterait à nouveau, porterait la main à sa tête.

Les clients commentaient. À Bures, ça jasait. Certains voisins avaient même prononcé le mot, « dérangée », on la regardait avec une commisération teintée de curiosité. La postière s'était permis de le « signaler » à Matteo.

– Dites donc, votre dame, elle a pas l'air bien portante, depuis que votre fille est partie, disait-on sur le ton du souci, mais avec cette petite pointe de satisfaction secrète que procure le malheur des autres.

Ce à quoi Matteo répondait avec la brusquerie qui était la sienne :

– Est-ce que je regarde dans votre potager si les tomates sont pourries ? Non ! Alors laissez le mien tranquille !

Mais il la voyait s'égarer doucement et parfois, il s'inquiétait un peu de ce changement. Oh, pas longtemps, il avait en la vie une sorte de foi qui lui faisait penser que le temps arrange tout et que ça allait se tasser. Sur le fond, il avait raison, parfois, ça se tassait. Angèle se remettait à cuisiner des plats vigoureux, à chantonner en tournant ses ragoûts aux fèves. Mais ça ne durait pas. Quelques jours sans lettre suffisaient à la jeter hors d'elle-même.

Les siennes, de lettres, lui prenaient un temps infini. Elles étaient devenues le rituel fixe de ses journées. Comme éplucher les patates ou secouer l'édredon. Il y avait la lettre, réceptacle laborieux de toute la misère des journées sans elle. Sa Malia. Des lettres hachées, tendres, incohérentes. Parfois longues, de vraies lettres de dame, avec des formules. Parfois écrites à la va-vite comme une liste de commissions. Parfois, il n'y avait pas de papier et elle arrachait une feuille quadrillée du calepin suspendu au garde-manger, avec écrit « poireaux » ou « sucre » ou « huile » derrière. Parfois, elle s'appliquait et l'écriture montait tout droit avec les points bien enfoncés sur les *i* et les barres des *t* presque perpendiculaires. Parfois, c'était la rage, la tristesse, c'était fouillis, illisible, on n'y comprenait rien, Angèle ne faisait même pas d'efforts. Parfois aussi elle était désemparée et seulement maladroite. Sur l'enveloppe quasi quotidienne, Malia lisait dans sa mère comme dans un livre ouvert. Quelquefois, elle aurait voulu simplement refermer le livre. Longtemps, cette chose-là, elle ne se la dit pas. Qu'elle ne voulait plus ouvrir le livre.

*

Malia à Nina

23 juin 1956

Chère Nina,

Je suis tout à fait confuse de m'être laissée aller à pleurer devant vous l'autre jour, et surtout devant la petite Aude. Ce mot est d'abord pour m'excuser de ma faiblesse. Mais aussi, je ne sais comment le dire, je me sens tellement en confiance avec vous, c'est votre générosité, chère Nina, qui a libéré ces larmes ! Du coup, il m'est peut-être plus facile de vous écrire. C'est très difficile, je n'ose l'exprimer qu'à vous. Voilà, depuis que je vis à Paris, depuis que j'ai rencontré votre famille et aussi toutes ces personnes si intéressantes, par mes études, je me sens comme une étrangère dans ma propre famille. J'aime infiniment ma mère et mon père, ce n'est pas cela, mais c'est comme si nous ne parlions pas la même langue. Je sais qu'ils m'aiment de tout leur cœur, mais il y a un mur entre nous. Les repas à Bures deviennent pénibles. Les silences de mon père à table, autant que le bavardage de ma mère. Ils ne me comprennent pas, n'approuvent pas mes choix. Ils n'ont jamais compris que j'aime lire, quand j'étais petite, mon père me disait « Arrête de traîner ! », *chaque fois qu'il me trouvait un livre à la main. Maintenant, ils sont fâchés que je ne passe pas mes vacances chez eux, ne comprennent pas qu'une jeune fille assoiffée d'indépendance ait envie de connaître autre chose que la vie qu'ils ont connue, eux. Mais je ne veux pas avoir la même vie qu'eux ! Chère Nina, rien que d'écrire cela, j'ai envie de pleurer. Que m'arrive-t-il ?*

Pardon, encore merci de tout ce que vous faites pour moi, merci de nos conversations si enrichissantes, merci de m'appeler par mon vrai prénom,

Votre affectionnée,

Amalia

Nina à Malia

26 juin 1956

Chère Amalia,

Ta lettre m'a beaucoup touchée. Nous aurons encore de longues et bonnes conversations. C'est le privilège de l'amitié et, en dépit de notre différence d'âge, je te considère comme une amie. Ne te chagrine pas concernant tes parents. Tu te sens différente d'eux, cela arrive, cela ne change rien à l'amour que vous vous portez et c'est cela l'essentiel. L'amour, l'affection. Ils sont sans doute un peu inquiets, car ils ont le sentiment que tu leur échappes. Tu sais, c'est un sentiment qu'ont presque tous les parents quand leur enfant s'envole du nid. Seulement, dans votre cas, il y a quelque chose d'un peu plus tendu, parce que tu es très différente d'eux. Je ne connais pas ton papa, mais tu m'as fait la confiance de me présenter ta maman, qui est d'une belle générosité. On n'est pas obligés de tout partager avec ses parents. S'aimer, être ensemble, est parfois suffisant. Et c'est déjà beaucoup. Nous aurons l'occasion de reparler longuement de tout cela pendant nos vacances à Belle-Île. Je suis sûre que cet endroit t'apaisera.

Je t'embrasse,

Nina

Malia à Angèle

1er juillet 1956

Chère maman,

Gisèle m'a prêté un joli maillot de bain jaune à rayures, je ressemble à un vrai mannequin de L'Écho de la Mode*! Nous partons ce soir et bien sûr, je vous raconterai la mer, la Bretagne. Merci de m'avoir laissée partir, finalement, vous verrez, je serai aussi noire qu'un pruneau quand je reviendrai, vous ne le regretterez pas. Maman, ne t'inquiète pas trop pour mon problème, je pense que j'aurai mon examen d'oral en septembre, Gisèle et Nina m'assurent que cela passera tout seul et qu'en tout cas, il n'existe pas de médicament contre* *ça. Je te laisse, j'ai encore ma valise à terminer, je vous embrasse tous les deux bien fort,*

Malia

Gisèle à Malia

15 juillet 1956

Ma petite Malia,

Cette petite carte de l'église Saint-Sulpice pour te rappeler notre joli quartier. Ta mère est venue me voir, elle se fait beaucoup de souci pour « ton problème ». Elle se démène pour te trouver un docteur… Je pense que tu ne devrais plus lui en parler, d'une part, tu l'inquiètes encore plus qu'elle ne l'est déjà à ton sujet (ce qui n'est pas peu dire !), d'autre part, cela lui est un excellent prétexte pour trouver que le secrétariat te conviendrait mieux que les études… Le remède, petite sœur, nous le trouverons ensemble, je te le promets ! J'espère que tu profites de tes vacances et t'embrasse de tout cœur,

Gisèle

Nina à Malia,

Belle-Île-en-Mer, 25 juillet 1956

Chère Amalia,

Ce matin, en se réveillant, Aude m'a demandé en se frottant les yeux pourquoi ce n'était pas Amalia qui dormait à côté d'elle, pourquoi le lit était vide. Quand je lui ai rappelé que tu étais retournée à Paris, elle a beaucoup pleuré. Elle était très fâchée contre moi! Et ce soir, elle m'a dit «Maman, je voudrais qu'Amalia soit ma grande sœur». Je lui ai répondu que pourquoi pas? Qu'en penses-tu, chère Amalia? Une grande sœur tombée des étoiles, déjà grande et sage, uniquement gentille et attentive, quel bonheur pour une petite fille! Je n'ai pas voulu la faire revenir de son rêve… Je repense à nos discussions sur l'avenir du monde. J'ai adoré parler avec toi. Tu dois te faire confiance, tu as tous les atouts pour cela. Tu es la preuve vivante que les origines, le milieu familial ne sont qu'une des composantes d'une vie et d'une destinée, et que l'on choisit sa vie. Tu as raison, c'est un peu étrange de parler de la révolution prolétarienne en prenant l'apéritif devant le soleil couchant. Mais c'est ainsi, c'est aussi un principe de réalité! Je suis, moi, un pur produit de l'intelligentsia « de gauche », cette frange hypocrite de la bourgeoisie, je n'ai pas besoin de biens matériels, je n'ai aucun désir de posséder quoi que ce soit, mais j'ai besoin de paysages sublimes et des délices de la pensée. Toi aussi, je crois. Il faut faire confiance à ta nature. Ce soir, j'ai pris le vélo pour aller faire les courses au Palais. Le port était tout dégoulinant de cette belle peinture rouille dont les pêcheurs teignent les filets. J'ai pensé à toi, à ton plaisir devant toute cette beauté. Ma pauvre chérie, tu n'as pas connu beaucoup de vraies vacances dans ta vie. J'espère que nous aurons l'occasion de t'en offrir de nouveau. Et puis, figure-toi qu'à un moment, je vois un magnifique personnage se promener sur le quai en regardant la mer, une stature vraiment impressionnante. Je m'approche et je le reconnais pour avoir vu sa photo dans je ne sais plus quel journal : Messali Hadj, le nationaliste algérien, dissident du FNL assigné à résidence en métropole. Eh bien, apparemment, sa résidence, c'est Belle-Île-en-Mer. Cela m'a fait un choc, il avait si belle allure avec son chien, un setter irlandais couleur de feu qui bondissait autour de lui… Messali Hadj ! Voilà, ma chérie, pour aujourd'hui.

Robert arrive demain par le bateau de midi. Je crois que seul leur père pourra consoler les enfants du départ de leur chère Amalia.

Ils se joignent à moi pour t'embrasser très affectueusement,

Nina

Malia à Nina,

4 août 1956

Chère Nina,

Je ne sais comment vous remercier pour ce merveilleux séjour. J'ai peine à croire que j'ai vraiment vécu ce moment, par instants, il me semble que j'ai rêvé. Mais je ferme les yeux et tout est là : la mer qui crisse sur le sable, le bleu profond de l'océan, l'odeur de miel des ajoncs, la couleur dorée de leurs fleurs, l'odeur du pain sortant du four en pierre chez le boulanger du Coty, une odeur de levain et de sueur, la joie des enfants mangeant la « tare » en courant dans les blés sur le chemin du retour, ces blés pleins de marguerites jaunes. Et puis les draps séchant au soleil sur les buissons d'églantines à côté du puits, les pique-niques sur la plage. Chère Nina, vous m'avez fait entrer dans un monde merveilleux qui n'est pas du théâtre, et Dieu sait que j'aime le théâtre ! C'est un vrai monde, je ne soupçonnais même pas qu'il existait sauf dans les livres. Je vous dois tout.

Je vous envoie toute mon amitié reconnaissante, et je vous demande de bien vouloir embrasser les enfants pour moi,

Amalia

Nina à Malia

28 août 1956

Chère Amalia,

Les vacances s'étirent, très paisiblement. Robert s'est remis à son livre, il ne vient presque plus à la plage, parfois, il part pêcher à la pointe de Locmaria avec son ami Léon, qui habite une petite maison toute verte et dont la femme ravaude les filets et fait du beurre délicieux avec le lait de ses trois vaches. Nous lui achetons 500 grammes de beurre salé chaque semaine, qu'elle ne nous laisse jamais emporter, dans son bol en grès, sans y avoir tracé une fleur de la pointe d'un couteau. Les enfants sont émerveillés de voir que dans la fleur, des gouttes de petit-lait apparaissent! Nous prolongerons nos vacances jusqu'au 10, la rentrée pour Aude étant le 15. Penses-tu pouvoir revenir travailler dès le 11, car il faudra que j'aille avec elle acheter ses affaires de rentrée, le cartable, le tablier, etc. Écris-moi ton emploi du temps si tu le connais afin que nous nous organisions pour cette année. Je me fais beaucoup de souci pour ce qui se passe dans les pays de l'Est, en particulier la Hongrie, où des mouvements révolutionnaires très spontanés semblent se produire, je crois, dans les milieux étudiants.

Je t'envoie tous les baisers salés des enfants, et te charge de transmettre mes meilleures pensées à tes parents,

Je t'embrasse bien fort,

Nina

Malia à Nina

3 septembre 1956

Chère Nina,

Merci pour votre bonne lettre qui m'a donné une

bouffée d'océan et de soleil. À Paris, il fait bien chaud, et aussi bien poussiéreux ! Je n'ai pas encore vu mon emploi du temps, il ne sera affiché que le 20, mais je peux m'engager pour le 11. Je suis en train de lire en même temps les trois livres que vous m'avez prêtés, En attendant Godot, Hamlet *et* Le Théâtre et son double *d'Antonin Artaud. Je ne les quitte pas ! Artaud est sur ma table de chevet (si je puis dire !), Beckett sur la table de la cuisine,* Hamlet *dans mon sac. J'ai l'impression que rien ne pourra rassasier ma faim de lire et de connaître. Et décidément, le théâtre me passionne !*

Je me réjouis de vous revoir tous très vite,

Chère Nina, je vous envoie toute mon amitié respectueuse et je me permets de vous demander d'embrasser les enfants de ma part,

Amalia

Angèle à Malia

18 septembre 1956

Je me languis, je me languis. Tu ne viens pas assez, quand je ne te vois pas, j'ai plus goût à rien. Ton père aussi est fatigué, viens, viens, viens.

Ta maman

Malia à Angèle,

23 septembre 1956

Mais qu'est-ce qui se passe, maman? Pourquoi m'écris-tu ce mot si triste? Je viendrai comme prévu dimanche en huit, c'est-à-dire dans dix jours exactement. Vous n'êtes pas malades? J'ai beaucoup à faire, tu sais, en cette rentrée, mes cours de russe ont recommencé, les réunions de cellule aussi, il y a les enfants… Mais je pense tous les jours à toi et je t'embrasse,

À dimanche prochain,

Malia

Malia à Angèle

1er octobre 1956

Ma chère maman,

Je passe beaucoup de temps à la bibliothèque Sainte-Geneviève, en fait, presque toutes mes soirées. Gisèle a commencé sa deuxième année au Cours Simon. Elle va jouer dans une pièce de Tchekhov (un Russe) et le metteur en scène sera un Russe qui viendra spécialement à l'école Simon à partir de décembre. Gisèle dit que je pourrai peut-être assister à la première lecture. J'adorerais, tu penses! Tout ce qui est russe m'intéresse, en ce moment. Comment va papa? Donne-moi de vos nouvelles, s'il te plaît.

Je vous embrasse bien fort,

Malia

Angèle à Malia

10 octobre 1956

Ma petite Malia,

Ton père fait de la constipation. Il a des douleurs au ventre et il veut pas voir le docteur, comme tu le connais. Il mange pas bien. Et moi je dors pas bien. On t'attend dimanche.

Ta mère

Malia à Angèle

18 octobre 1956

Chère Maman,

Surtout, n'hésite pas à faire venir le docteur Frot, même contre l'avis de papa ! Pour le reste, il ne faut pas m'en vouloir de ne pas venir aussi souvent que je le souhaiterais. En plus du travail pour la faculté, j'en ai aussi pour mes cours de russe. Et en réunion du Parti certains veulent organiser une cellule de réflexion sur les événements de Hongrie … Je viendrai dès que je peux, je vous embrasse,

Malia

Angèle à Malia

2 novembre 1956

Ma petite fille,

Ton père a toujours ses douleurs, malgré qu'il mange

que du bouillon. Le docteur a donné des pilules, mais il ne les prend pas. Il faut que tu lui dises, toi. Quand viens-tu? Il faut lui dire d'obéir au docteur. Ne te fais pas de souci quand même, mais viens vite. VIENS VITE,

Maman

*

Malia posa la lettre sur la table avec un soupir. Une feuille quadrillée arrachée d'un carnet à spirale, sur la dernière phrase, l'écriture montait presque à la verticale, « VIENS VITE » souligné trois fois. Elle fit le geste de chiffonner le feuillet, puis se ravisa, le glissa dans l'enveloppe qu'elle remit avec agacement dans la boîte à chaussures qui contenait toutes les autres.

Pourquoi, avec cette séparation qu'elle avant tant appelée de ses vœux, le monde s'était-il ouvert en deux comme un fruit blet? Les pauvres lettres de sa mère apparaissaient parfois à Malia, de plus en plus souvent en réalité, comme venant d'une autre femme. Une « femme », précisément, et non une mère. Avec une vie étrangère à la sienne, à présent, un peu triste. Elle sentait qu'elle était reliée à cette femme par cette tristesse et par cette étrangeté et au fond d'elle, il y avait une révolte.

Parfois, elle pensait à avant. « Avant ». Les dimanches à Chartres, le joyeux affairement des matins, avant la messe. Angèle, pour faire plaisir à Madame Édith, et aussi parce que « ça se faisait », s'était mise à fréquenter l'église. Madame Édith et Gisèle se plaçaient devant, avec les autres notables de la paroisse qui, comme elle, avaient leurs chaises avec les noms, Angèle et Malia s'asseyaient derrière, un peu en retrait à gauche, sur le banc des domestiques. Les deux tresses noires de Malia étaient ramenées sur le haut du crâne, avec un gros nœud en papillon, la tache de café au lait sur la robe du dimanche avait été vigoureusement frottée et, dans l'église glacée, la robe encore mouillée collait froid sur sa cuisse, Angèle psalmodiait, trop fort, du latin de cuisine dont elle ne comprenait pas le premier mot, et Gisèle se retournait sans cesse vers Malia pour essayer de la faire rire. Ensuite, Madame Édith passait chez Chenu, le pâtissier de la place, pour prendre son saint-honoré, Angèle attendait dehors avec les petites qui se faisaient des niches. En sortant, Madame Édith tendait à Angèle un sachet de mendiants :

– Tenez, ma bonne Angèle, je sais que votre mari les aime.

Et Malia se demandait toujours pourquoi eux avaient droit à des mendiants alors que dans la grande maison, le gâteau du dimanche était plein de crème et avait un nom de saint.

Mais c'était comme ça, exactement, et ces souvenirs fleuraient bon les dimanches dorés et paisibles d'automne, sans question, le temps un peu arrêté d'avant l'hiver. Angèle servait le café au jardin, la petite Malia avait le droit de s'asseoir sur les marches du perron, les genoux nus dans l'air tiède, attendant que Gisèle ait fini son gâteau. Dans la salle à manger désertée, les serviettes gisaient dans un rayon de soleil, chiffonnées sur la nappe damassée au milieu des miettes et des verres à moitié pleins, les poules crételaient sur le muret du potager, le linge battait doucement sur la corde devant les rangées de pois de senteur et de haricots d'Espagne, on ne pouvait pas aller cueillir une salade sans se prendre un drap humide dans la figure. À y penser, une sorte de bonheur. Aujourd'hui que tout avait basculé, les souvenirs remontaient parfois, par bouffées, sans ordre. Il y avait aussi la toilette de la semaine, le samedi, debout dans la bassine en fer remplie d'eau savonneuse, le corps blanchi de mousse que sa mère frottait énergiquement. Malia poussait des petits cris quand Angèle passait le pain de savon de Marseille sur le « panpan ». Tout dans la même eau, sans rinçage. Angèle s'en servait après pour nettoyer le carrelage pendant que Malia séchait devant la cuisinière, faisant semblant de grelotter pour rester encore au chaud près de sa mère. Et quand celle-ci passait la toile sous la chaise où elle était assise, Malia devait lever les pieds ; ensuite elle les mettait dans le four à pain qui était tiède et dont on ne se servait plus parce que Madame Édith achetait maintenant son pain tout fait. Et le bruit des cercles de fonte qu'Angèle déplaçait bruyamment avec le tisonnier pour ranimer les braises ou vider un seau de boulets. Et les jeux avec Gisèle, la balle au mur, les marelles dans la petite cour derrière la buanderie, « Ciel » et « Terre », « Enfer » surtout, où l'on était fichue. La « coiffeuse », la « maman », « être soûles » et dire n'importe quoi, les cabanes avec de vieux draps à la lingerie. Les « manants », il y en a une qui se tient accroupie, l'air misérable, la main tendue, l'autre passe, altière et lui jette une pièce sans même la regarder, disant « Tenez, manant ! ». Ensuite, on change. C'est Malia qui a inventé le jeu. Gisèle a inventé de jouer aux parents. Elle est le père, elle dispute toujours sa femme. Malia fait mine de se protéger la figure avec son bras en disant « pardon, pardon, je ne le ferai plus ». Le père s'énerve, se met à crier « Vieille chouette, salope, sale pute ! » Et Malia se redresse, ouvre des yeux ronds.

– Ça veut dire quoi ?

Gisèle hausse les épaules.

– Ça veut dire qu'on a un bébé sans être mariée.

Après, dans leurs jeux, il y a eu tout le terrible

et noir secret de cet amour-là, qui est dans le lit des parents et dans leurs disputes et dans les gros mots, et aussi dans les livres si on cherche, dans ces livres dont Madame Édith dit qu'il « ne faut pas les laisser entre de jeunes mains ». Ce sont ceux-là que Gisèle va chercher sans se faire voir à la bibliothèque et apporte à Malia pour qu'elle les lise et trouve les passages à se lire tout haut en cachette. Malia ne sait pas trop, elle a 11 ans, mais elle devine à une certaine chaleur qui lui vient dans le haut des cuisses, à son cœur qui bat plus fort, que derrière ces mots-là, qui sont comme des boîtes à secrets, il y a un monde obscur, terrifiant et éblouissant. Elles vont se cacher au fond du jardin, comme si c'était mal, derrière le laurier noir. Malia lit, appliquée, et Gisèle écoute sérieusement, le menton dans ses deux poings.

C'était « avant ». C'était heureux. Il me semble que c'était heureux, se dit Malia. C'était un autre monde. Celui des mendiants de Madame Édith et des manants avec Gisèle. Aujourd'hui, Angèle a fondu, elle flotte dans son tablier, elle a le visage jaune du désespoir, elle est devenue l'ombre d'elle-même. À croire qu'elle ne l'a jamais été, elle-même.

Ses pauvres lettres sont pour Malia une torture qu'il lui faut entretenir sous peine, elle le sait, de la tuer ou de la rendre folle. Il lui arrive d'avoir une lettre en main et envie de ne pas l'ouvrir, comme si elle contenait quelque maléfice, comme si un relent vénéneux allait s'en échapper. Comme elle ne parvient pas à les jeter après les avoir lues, elle les empile dans une boîte à chaussures, puis une deuxième, qu'elle voudrait n'avoir pas sous les yeux, qu'elle fourre sous son lit. Parfois, elle n'arrive pas à dormir, elle sent les lettres sous elle, sous son sommier qui grince, elle rallume, prend les boîtes, les met de l'autre côté de la porte. Le matin, elle se lève aux aurores pour que Gisèle ne voie pas, qu'elle ne pose pas de questions.

Elle avait adoré sa mère, à présent, certains jours, elle redoutait de la haïr.

*

Malia à Angèle

14 novembre 1956

Maman, ce petit mot pour que tu me dises très vite si papa est plus raisonnable. Quand je suis partie avant-hier, il m'a promis qu'il prendrait sagement son traitement, dis-moi s'il le fait. À part ça, les événements de Hongrie m'occupent beaucoup, je devrais dire NOUS occupent, parce que l'intervention des chars soviétiques à Budapest choque beaucoup de monde. Ça discute ferme le soir, en réunion, on fume tellement qu'on ne voit même plus celui qui parle !

Je t'embrasse fort, réponds-moi, s'il te plaît, pour papa,
Ta Malia

Angèle à Malia
18 novembre 1956
Ma petite fille,

Ta visite nous a fait bien plaisir. Il faut venir plus souvent. Surtout que ton père ne va pas mieux, c'est même pire. Les médicaments, il les prend, mais il renvoie tout ce qu'il avale alors ça sert pas. Heureusement, monsieur Senati nous a fait du petit bois pour la cuisinière. Le docteur Frot est revenu ce matin, il dit qu'il faudra peut-être aller à l'hôpital. Mais ça, il voudra jamais. Et moi aussi ça va mal, je dors pas.
Ta maman

Malia à Angèle
21 novembre 1956
Chère maman,

Ce que tu me racontes de papa me rend très triste. Pour l'hôpital, il faut que tu lui expliques qu'il doit y aller pour faire des examens, que c'est pour trouver le bon traitement et qu'il arrête de souffrir. Même s'il ne veut pas y aller, il faut l'y forcer. Si tu as besoin que je revienne pour cela, surtout dis-le moi vite, que je m'organise. Les événements de Hongrie nous préoccupent toujours beaucoup. Nous sommes quelques-uns, dans notre cellule, à nous poser des questions. A-t-on le droit, au nom de l'idéal communiste (au nom de n'importe quel idéal!), de mettre au pas un pays entier par les armes? N'y a-t-il pas une contradiction entre notre idéal de fraternité et d'égalité, et le fait d'imposer cet idéal par la violence? Et encore, certains camarades disent qu'on ne sait pas tout et que la presse cache des choses terribles que feraient les Soviétiques en Hongrie et même en URSS. J'ai peine à le croire, mais j'avoue que tout cela me tourmente beaucoup. J'en parle avec Nina qui, comme beaucoup au Parti, se pose beaucoup de questions. Certains proposent même de rendre leur carte... Tu vois que c'est grave. Donne-moi des nouvelles de papa.

Je vous embrasse tous les deux,

Malia

Angèle à Malia

26 novembre 1956,

Ma mignotte,

Ton père va mal, mais pas tant que ça, parce que ta lettre l'a énervé. Il dit que tu te poses trop de questions! Les questions, il dit, ça empêche de marcher droit. Si en URSS, ils avaient pas marché droit, ils auraient encore le tsar. Et puis on fait pas d'omelette sans casser des œufs. Ton père dit que si c'est à ça que mènent les études c'est pas la peine. Nous, on était contents parce que tu avais adhéré, même si ton père n'a pas sa carte et moi non plus d'ailleurs, mais tu sais bien notre sympathie. Alors, il ne faut pas reculer au premier petit problème. Lui, il y va quand même à l'hôpital puisqu'il y va demain.

Nous t'embrassons,

Tes parents

Malia à Angèle,

10 décembre 1956

Chère maman,

Est-ce que les résultats des analyses de l'hôpital sont arrivés ? Dis-moi dès que tu sais. Le metteur en scène russe dont je t'ai parlé est arrivé et je suis allée à la lecture de la pièce de Tchekhov. Gisèle lit déjà son texte comme une vraie actrice ! Et puis, imagine-toi qu'à la dernière scène, quelqu'un manquait, et Monsieur Gounilev m'a demandé si je pouvais lire sa partie pour donner la réplique aux autres. J'ai commencé par refuser, bien sûr ! Tu me vois sur une scène, rouge comme une pivoine, à bafouiller ! Mais Monsieur Gounilev a gentiment insisté en me disant qu'il resterait à côté de moi. Au début, je n'arrivais pas à sortir un son et il lisait le texte par-dessus mon épaule. Et puis tout à coup, je me suis rendu compte qu'il avait arrêté et que c'était moi qui lisais. Alors là, j'ai rougi d'un seul coup ! Monsieur Gounilev a fait semblant de rien remarquer et j'ai pu continuer ! Est-ce que ce n'est pas une première étape vers un mieux ? Oh, si je pouvais guérir un jour de cette affreuse infirmité !

Je t'embrasse bien fort, donne-moi des nouvelles de papa, s'il te plaît,

Malia

*

Elle est toute petite, Angèle, maigre et blanche, avec une poitrine plate, des yeux très noirs et très enfoncés et un étrange visage triangulaire, un menton pointu. Ses gestes sont vifs, parfois brusques, elle est toujours en alerte, on dirait une sauterelle. Elle déteste qu'on le lui dise et prétend que c'est à cause des soucis, qu'autrefois elle était gironde, avec une grande chevelure noire. Les soucis n'ont bien sûr rien à voir, en tout cas les cheveux d'aujourd'hui sont fins, électriques, gris et incoiffables. De mauvais cheveux, saccagés à force d'indéfrisables.

Encore l'hiver, emmitouflée dans des couches de châles en grosse laine, ne devine-t-on pas grand-chose du corps d'Angèle. Mais l'été, sous l'éternel tablier de coton, on lui voit les clavicules et au-dessus le long cou blême où court une veine bleue. En bas, deux guibolles sèches comme des crayons, avec ça elle a pris des drôles de gestes saccadés depuis peu, elle ressemble à une marionnette à fils.

Elle jure à qui veut l'entendre que c'est la vie qui lui a passé dessus, qu'autrefois elle avait la poitrine de Gina Lollobrigida et les fesses de Mae West, et même si elle ne va jamais au cinéma, elle le sait bien, elle lit *Cinémonde* où il y a des photos. Elle ne perd pas une occasion de dire que, jeune, Matteo « en avait plein les mains ». C'est sa nouvelle lubie, ça l'a prise il n'y a pas longtemps.

Ça a commencé peu après le départ de Malia, un jour que la voisine était venue prendre le café. Mattéo n'avait d'abord rien dit, il l'avait écoutée en souriant, la tête un peu penchée. Il n'a jamais voulu la contredire, son Angèle. Il l'aime tant. Mais ce jour-là, quand même, le jour de Lollobrigida et de Mae West, il s'était récrié doucement :

– Tu exagères, Angèle, on peut pas dire que t'aies jamais été épaisse. Bien carrossée oui, mais il y a toujours eu de l'os dans la viande !

Le visage d'Angèle était devenu noir. Elle s'était fâchée. Il avait protesté gentiment et s'était enferré.

– Tu te rappelles pas qu'à 25 ans, t'avais déjà les os qui piquaient, qu'allaient avec ton caractère, que je t'appelais Chiendent ? Mais aussi j'aimais ça, et j'aime toujours, va !

Angèle sifflait entre ses dents.

– Va pas dire ces bêtises à la petite, qu'elle pourrait les croire ! Elle le sait bien, elle, j'y ai parlé, que j'avais tellement de lait à sa première année que j'aurais pu en nourrir deux comme elle... avec mes os, comme tu dis ! Et se tournant vers la voisine :

– Telle que vous me voyez, il y a vingt ans, j'avais vingt kilos de plus. Vous le croyez, ça ! Les soucis que j'ai eus, ça m'a pompé un kilo par an !

Et elle s'en était allée, princière, pour couper court à toute réponse.

Quand elle y pense, au fond, à Malia aussi il semble qu'autrefois, dans la nuit de sa mémoire d'enfant, sa mère était ronde, pleine, épanouie. Très différente d'aujourd'hui. Mais cette mère de rêve, elle la chasse d'un mouvement de tête qui fait danser ses boucles brunes, elle le sait bien que les rêves, il faut les laisser sur le bas-côté de la route. Pourtant, elle le dit ce jour-là à Gisèle, de retour de Bures, de ce déjeuner où Angèle s'est fâchée tout rouge contre Matteo.

– Ça fait partie des nouvelles fantaisies de ma mère : faire croire mordicus qu'autrefois elle était grosse. On se demande pourquoi ! C'est elle qui lance le sujet, personne ne lui demande rien. Elle voudrait ressembler à une actrice italienne, c'est ridicule ! Comme il n'y a aucune photo pour prouver le contraire… Il y a quand même mon père ! Mais elle ne veut rien entendre.

– Oui, c'est bizarre, disait Gisèle… Ma tante Édith disait que ta mère et toi, quand vous êtes arrivées chez elle, vous ressembliez à des oiseaux déplumés. Elle tenait à ce que vous mangiez bien, elle me faisait garder du dessert pour vous, toi parce que tu étais une enfant, Angèle parce qu'elle travaillait dur. Ma tante a toujours été une bonne personne… Mais Angèle, grosse, vraiment non… C'est sûr qu'elle était moins maigre qu'aujourd'hui, mais je ne l'ai jamais vue bien en chair… Musclée, peut-être, un peu plus ronde, enfin plus jeune, quoi…

Malia était perplexe. Elle n'aurait sans doute pas sollicité ses souvenirs si Angèle ne s'était montrée aussi véhémente sur un sujet somme toute assez peu intéressant. Mais c'était cela, l'incompréhensible, elle qui s'était toujours habillée à la six quatre deux, que son apparence physique la préoccupe tout à coup de manière si inopinée. Malia essayait de remonter très haut dans ses souvenirs, peut-être, oui, à l'époque de Chartres, quand sa tête de petite fille arrivait à la taille de sa mère, elle croit revoir les plis du tablier autour des boutons, du coton à fleurs tendu à craquer quand elle s'asseyait et ensuite le dégoût qu'elle éprouvait à regarder, avec une espèce de fascination, les cuisses blanches qui se fondaient à l'entrejambe, tout au fond de la chaise, en ce lieu impensable et noir. Et plus haut, ces seins qui l'avaient nourrie, elle les voyait volumineux, des seins de mère, qu'elle enviait déjà, qu'elle n'aurait jamais puisqu'elle était, elle, Malia, petite et maigrelette.

– J'ai quand même été nourrie au sein pendant un an, Gisèle, ma mère dit qu'elle avait tellement de lait qu'elle aurait pu en nourrir deux.

– Après un accouchement je suppose que c'est possible... Je ne sais pas, à vrai dire.

Mais au fond, Malia n'était pas si sûre que son imagination d'enfant n'ait pas transformé en une sorte de mère idéale, une icône de Mère à l'Enfant, une Mère de Dieu, ce corps sec et noueux, ces angles trop vifs, ce quelque chose d'aigu qui marquait une souffrance. Puisque de cette souffrance-là, la petite Malia ne voulait pas, n'avait jamais voulu. De cela elle était sûre.

*

Malia à Angèle

15 décembre 1956

Chère maman,

Je suis retournée hier soir au théâtre. Monsieur Gounilev m'a dit que si je voulais, après Noël, je pouvais continuer à venir aux séances qu'il va donner cette année au cours Simon, en plus des répétitions de Tchekhov! Il y en a une dizaine jusqu'à la fin de l'année scolaire. Tu penses comme j'ai accepté. Je n'ai même pas besoin de m'inscrire, rien à payer. Gisèle me dit que cette proposition est une chance à ne pas laisser passer. Elle me dit aussi que cela m'aidera sûrement avec mon problème.

Je suis si contente!

Je t'embrasse, ainsi que mon cher papa, je suis contente de savoir qu'il souffre moins.

Malia

Malia à Angèle

20 décembre 1956

Maman, je préfère te le dire: j'étais fâchée que tu ne me laisses pas dans la chambre avec papa alors qu'il voulait rester un peu seul avec moi. Il te l'a demandé, pourquoi n'as-tu pas voulu sortir de la chambre?

Nous avons le droit d'avoir des secrets de père à fille, non?

Je t'embrasse quand même,

Malia

Angèle à Malia

22 décembre 1956

Ma petite Malia, il fait bien froid, je reste avec la chèvre et les chiens dans la cuisine. Ton père, les docteurs veulent le garder à l'hôpital. Il n'est pas content, mais moi oui. Je lui porte son bouillon, à l'hôpital, c'est infect. Après Noël, il y aura le téléphone chez Compans. On pourra se téléphoner avec un jeton. Viens me voir, et pas de messes basses avec ton père à l'hôpital, ça me porte sur les nerfs.

Ta maman

Malia à Angèle

3 janvier 1957

Chère maman,

Tu ne me donnes pas trop de nouvelles de l'hôpital, j'ai trouvé papa bien maigri, hier. Tu me parles d'ulcères à l'estomac, mais Nina me dit que les ulcères se soignent très bien et ne devraient pas durer des mois. T'es-tu bien renseignée auprès des docteurs de l'hôpital ? Peut-être devrais-tu parler au docteur de Bures pour qu'il t'explique le traitement. Hier au soir, j'ai dîné chez Nina et Robert avec Gisèle qui était bien contente de les rencontrer. Il y avait une amie à eux mariée à un journaliste hongrois. Elle est arrivée avant-hier, son mari est retenu dans une résidence surveillée à Budapest. Aucun journaliste ne peut plus faire son métier en Hongrie, ils prennent du travail dans les mines, dans les usines. Il y a des tas de gens en prison. Il y avait un autre couple d'amis à eux qui ont décidé de rendre leur carte du Parti ! Sans aller jusque-là, c'est vrai que la position du Parti et de Maurice Thorez pose beaucoup de questions. Dîner passionnant. Même Gisèle a participé à la discussion. Nina pense que nous devons nous exprimer clairement, au Parti, sur la situation.

Maman, s'il te plaît, renseigne-toi sur le traitement de papa et donne-moi vite des nouvelles. De toute façon, je serai à l'hôpital samedi pour 15 heures et nous nous verrons là-bas.

Je t'embrasse fort,

Ta Malia

Angèle à Malia

6 janvier 1957

Mais pour qui elle se prend, cette femme-là ? Elle sait mieux que tout le monde, peut-être, ce que souffrent les pauvres gens ? Il faut pas oublier que c'est des bourgeois, tes patrons, ils font rien que parler. En voilà une affaire, elle s'inscrit, elle te fait inscrire et maintenant elle se demande si elle doit pas se désinscrire ! Moi j'ai toujours voté coco comme tu sais, pas ton père, il vote pas, comme tu sais et on est pas inscrits. Mais quand on s'inscrit, faut rester. Voilà ce que je veux te dire. S'il était en bonne santé, ton père te dirait la même chose, je lui en parle même pas, ça lui ferait encore un choc.

Affections,

Ta mère

Malia à Angèle

18 janvier 1957

Chère maman,

Le Cours Simon a repris hier pour Gisèle. Les répétitions de la pièce de Tchekhov commencent samedi prochain. J'ai appris que l'actrice que j'ai remplacée pour les lectures en décembre ne reviendrait pas. La pièce sera donnée en mai ou juin de l'année prochaine (1958) et Monsieur Gounilev se donne jusqu'à avril pour distribuer tous les rôles. Imagine qu'il me donne le rôle ! Bon, je rêve... Mais je ne pourrai pas venir te voir à Bures, si je vais voir papa à l'hôpital samedi, je n'aurai pas le temps. Pourquoi ne me retrouves-tu pas là-bas ? Nous pourrions aller prendre un café après, par exemple ?

Je t'embrasse,

Malia

Angèle à Malia

22 janvier 1957

Dis donc, ma fille, tu crois que j'ai de quoi me payer des cafés ? Et pourquoi pas le restaurant pendant que t'y est ? Non, tant pis, puisque tu préfères ton Russe, tu iras voir que ton père et tant pis pour moi. De toute façon, il est trop fatigué pour causer, tu verras, je crains même plus qu'il te dise des bêtises.

Affections

Ta mère

Malia à Angèle

24 janvier 1957

J'ai annulé ma répétition. Je viendrai te voir après ma visite à l'hôpital. Je serai là vers 4 heures de l'après-midi.

Malia

Gisèle à Malia

28 janvier 1957

Ma chère Malia,

Comme je pars aux aurores ce matin, je te laisse ce petit billet. Je sais que ton papa est très malade, c'est une priorité que d'aller le voir et tu as bien fait d'aller à l'hôpital samedi dernier. Mais une répétition de théâtre est aussi une priorité et, après l'hôpital, tu aurais dû courir à la répétition. C'est vraiment stupide ! En plus, je crois que Monsieur Gounilev voulait te confier le rôle de Geneviève ! Je préfère te le dire, il était furieux. Et je ne suis pas loin d'être fâchée aussi : te rends-tu compte du chantage que te fait ta chère maman ? Ne pouvait-elle attendre dimanche ? Ne te rends-tu pas compte qu'elle fait tout pour que tu ne lui échappes pas davantage ? Alors, le théâtre, grands dieux ! Tchekhov ! Et ce monsieur russe ! Quel danger pour elle ! Non, là, franchement, malgré l'affection que je lui porte, je pense que tu dois déterminer tes priorités.

Sur ce, je te conseille d'écrire un petit mot à Nicolas Gounilev avant de te représenter la prochaine fois.

Sans rancune de ma part, évidemment,

Gisèle

PS : Ce que tu me dis sur ton père qui « essaie de te dire quelque chose » est troublant, je le comprends. Tu n'as vraiment aucune idée de ce dont il voudrait te parler ?

Malia à Nicolas Gounilev

28 janvier 1957

Cher Monsieur Gounilev,

Je suis confuse de ne pas m'être excusée par avance pour mon absence à la première répétition. Croyez que ce n'est pas par désinvolture : je suis plus que jamais désireuse de faire partie de la pièce. Mais, peut-être mon amie Gisèle vous l'a-t-elle dit, mon père est gravement malade et hospitalisé, et ma mère se retrouve un peu seule et perdue. Dans ces circonstances, je ne pouvais faire autrement que de leur rendre visite. Ils habitent à la campagne et le trajet est assez long entre l'hôpital et la maison, je ne pouvais être à l'heure pour la répétition. Je suis absolument désolée et, encore une fois, honteuse de ne pas m'être manifestée par avance. J'espère que vous ne m'en tiendrez pas rigueur et que j'aurai la joie de pouvoir participer quand même à la prochaine séance.

Je me permets de solliciter votre compréhension,

Croyez, cher Monsieur Gounilev, en l'expression de mon admiration et de mon respect,

Amalia Lepore

Angèle à Malia,

30 janvier 1957

Ma petite Malia, j'étais bien contente de ta visite samedi. Mais tu m'as rien dit pour savoir s'il pouvait te parler l'autre jour, alors qu'avant il parlait même plus, comme je t'avais dit. Je ne comprends rien à ce qu'ils disent, à l'hôpital, qu'il peut revenir à la maison, alors je dis « c'est qu'il est guéri ? ». Pourquoi ils veulent me le renvoyer, alors qu'il a maigri comme c'est pas possible et c'est sûr qu'en mangeant pas leur saloperie, parce que moi je peux pas venir tous les jours, c'est pas ça qui va le faire revenir. Moi, je ne peux pas le prendre à la maison dans l'état qu'il est. Je l'ai dit aux docteurs, que je préférais qu'il reste s'il était pas encore guéri. Je voudrais que tu leur expliques. Le téléphone au Tabac marche toujours pas. On a eu l'électricité coupée la nuit dernière, à cause du vent. La chienne a encore fait dans la cuisine.

À mardi, comme tu as dit, si tu viens plus tôt, tu pourras voir les docteurs,

Affections de

Ta mère

De Malia à Nina

7 février 1957

Chère Nina,

Je ne pourrai pas venir de toute la semaine prochaine. Je suis désolée de vous mettre dans l'embarras, mais je viens d'apprendre que mon père a un cancer généralisé très avancé. J'ai vu les médecins de l'hôpital hier. C'est une question de quelques semaines, peut-être de quelques jours. Il ne s'alimente plus. Ma mère réagit très mal. Elle refuse d'admettre les choses. Elle est agressive vis-à-vis des médecins et même des infirmières. Elle les accuse d'être en train de le tuer. Je dois l'empêcher de crier dans les couloirs. C'est affreusement embarrassant, mais le pire pour moi est qu'elle ne veut pas me laisser une minute seule avec lui alors qu'il aimerait me voir seul à seule. Mais il est si faible… Il ne peut plus résister à ma mère, alors nous sommes là, tous les trois et elle surveille chacune de ses paroles. Les médecins disent qu'elle est très perturbée et me conseillent de rester auprès d'elle en ce moment. Je m'installe donc à Bures pour une semaine. Pardon encore de vous prévenir si tard.

Avec mon amitié respectueuse et mes tendresses aux enfants,

Malia

Nicolas Gounilev à Malia

7 mars 1957

Chère Amalia,

Je voudrais vous témoigner toute mon affection à l'occasion du deuil qui vous touche. Je voudrais pouvoir prendre une part de votre chagrin et vous en alléger d'autant. Hélas ! Je ne le puis. Nul ne peut alléger l'autre de cette peine-là, la disparition d'un père aimé. Alors, croyez tout au moins cela, je vous l'assure : vous avez en moi un ami.

Je vous embrasse,

Nicolas Gounilev

Deuxième partie

NICOLAS

La mort de Matteo laissait Angèle dans un grand désarroi. Saltimbanque, vagabond dans l'âme, exilé, Matteo avait pourtant été la borne fixe à laquelle elle avait amarré sa vie. Sans attaches, sans parents proches, il avait su créer les conditions pour Angèle de cette cristallisation singulière, différente pour chacun qui, au final, constitue bon an mal an une famille. Lui qui n'en avait pas eu, de famille, ou si peu et si loin, en avait pourtant le sens inné, et cet instinct puissant les avait fait vivre, tous, en bonne entente. Elle, Angèle, qui en avait une, et ancrée à une terre, augmentée d'une vaste parentèle, s'était toujours empêtrée dans des idées qui la menaient un coup ici et un coup là et lui faisaient perdre le sens commun. Matteo avait une morale bien à lui, tout d'un bloc, qu'il appliquait à toutes les situations de la vie et qui pouvait se résumer à peu près à ceci : ne pas faire aux autres ce que l'on n'aurait pas aimé que l'on vous fasse. Mais le parallèle avec les préceptes chrétiens s'arrêtait là. C'était un taiseux, comme on disait, sauf en représentation où il se révélait un bonimenteur de génie, baragouinant avec jubilation un sabir de français mêlé de patois calabrais. Mais s'il fallait dire son fait à quelqu'un, il trouvait le mot qui va droit au but et qui cogne. Et bien qu'Angèle lui eût reproché tout au long de leur vie commune son « manque de jugeote », elle s'était trouvée, ma foi, fort bien, auprès d'un mari qui la laissait divaguer sans la rembarrer, avec ce fin sourire qui, après tout, ressemblait bien à de l'amour.

Dans le désordre d'idées reçues dans lesquelles se démenait Angèle depuis toujours, il y avait pourtant d'excellentes intentions. Elle voulait offrir à sa fille ce qu'elle n'avait pas, ce qu'elle croyait qu'il fallait avoir eu pour être quelqu'un : un vrai cadeau pour Noël, acheté dans une boutique, et non pas une poupée de chiffon, de la viande quatre fois par semaine et pas seulement le jour du Seigneur, deux tenues, une pour « tous les jours », une pour le dimanche, l'école poursuivie après le certificat d'études, avec le désir confus que l'école apporte quelque chose à sa fille, et non la seule fierté pour elle-même permettant de dire aux autres « elle apprend bien ». Et pourtant, c'est cela qu'elle disait, Angèle, au temps de Chartres, à ceux qui s'étonnaient de voir Malia faire assidûment ses lignes et ses problèmes au milieu des pluches de légumes et des plumes de volaille, sur la table de la cuisine :

– Elle apprend bien, la gamine.

Et aussi :

– Elle ne manque de rien, elle a aussi bien que les autres.

C'était ça qu'elle n'avait pas eu, elle, « aussi bien que les autres », et le pôle unique de ses désirs pour Malia, c'était bien « les autres ».

– La petite à Chenu, elle va en sixième. Toi t'iras aussi !

Et elle se rengorgeait, rentrait dans sa cuisine en s'essuyant les mains dans son tablier d'un geste de reine. Par ailleurs, chez Angèle, le naturel, Dieu merci, n'avait jamais déserté. Elle disait « péter plus haut que son trou » et non « faire la fière », se déchaussait sans gêne devant le monde, massant son pied gonflé et disant « mon cor me fait mal, il va pleuvoir », mettait quatre sucres dans son café au lait, tuait d'un geste sûr, en lui enfonçant un ciseau dans la gorge, un poulet tenu entre ses jambes ouvertes, et au-delà du poulet on voyait la « combi » qui roulottait. Elle amidonnait les cols Claudine de sa fille, mais sortait avec des taches sur elle, elle lui faisait faire sa confirmation deux années de suite, deux années de suite à apprêter la robe blanche, et les frais qui vont avec, un an d'économies mises bout à bout, pas d'autre achat, rien. Alors qu'elle-même mettait rarement les pieds à l'église, sauf pour la Sainte Vierge, la « Petite Mère », à qui elle brûlait régulièrement des cierges, tentant malgré tout de raccorder les principes opposés de ses parents et de son mari. Elle se récriait quand Malia disait « C'est bath ! », mais lançait « Pousse ton cul ! » à son beau-fils quand elle voulait s'asseoir. Elle avait gardé ce savoir-faire de l'économie paysanne, qui faisait presque tout avec presque rien : retourner les cols et les poignets quand ils étaient usés, garder la peau du lait pour l'omelette du soir, l'eau du débarbouillage du matin pour la vaisselle et pour les mains, les cendres du bois pour la lessive, le pain rassis pour les poules et la « panade au sucre » du 4 heures. Mais il fallait faire tout cela sans que Malia s'en aperçoive, il ne fallait pas qu'elle hérite de « ça », il fallait qu'elle apprenne la vie autrement. Alors, ce savoir précieux, elle ne le lui transmettait pas, même elle le dénigrait. « Tu feras autrement, toi ! », « Va, ne regarde donc pas, c'est sale ! », « Laisse-moi donc cette pluche que tu sauras pas y faire ! » « Toi, t'auras une situation et un mari qu'aura des sous. » Et quand Malia pleurnichait pour coudre à côté de sa mère sur une chute de tissu, elle l'écartait vivement :

– File-toi de là, toi, t'auras pas besoin, t'auras des robes plein l'armoire et l'eau sur l'évier.

Et Malia retournait dans ses livres, en épiant sa mère du coin de l'œil, se demandant bien pourquoi elle n'aurait pas besoin de savoir tout ça, elle.

*

De Malia à Gisèle

Bures, le 8 mars 1957

Ma chère Gisèle, ma grande sœur, tu me manques bien. Ma mère est encore bouleversée, elle pleure beaucoup. Je me rends compte que malgré ses silences et son côté rugueux, mon père était notre solidité et notre force. Elle me semble aujourd'hui si fragile. Quant à Silvio... C'est un mystère. Il est lointain, presque distant. Cela me chagrine bien. Après l'enterrement, il m'a juste dit de me débarrasser des animaux. Mais ce serait un déchirement supplémentaire, maman est très attachée à Zette et aux chiens, pour elle, c'est une raison de s'accrocher à la vie. Je ne le ferai donc pas. Sllvio a l'air de s'en fiche, il fait sa vie à Toulouse, il ne s'occupera de rien. Ça m'a un peu choquée. S'il y a bien quelqu'un qui devrait avoir le souci des animaux, c'est lui, il a gagné sa croûte grâce à eux pendant tant d'années! Du coup, je dois régler seule un tas de choses assommantes auxquelles je ne comprends rien. Papiers administratifs, Sécurité sociale de maman. Je reste avec elle pour la semaine. J'ai prévenu Nina. J'ai cueilli un gros bouquet de coucous que j'ai mis sur la tombe. Ça fait une tache ensoleillée dans le cimetière. Je t'embrasse,

Malia

Malia à Nicolas Gounilev

10 mars 1957

Cher Monsieur,

Merci de votre témoignage d'affection qui m'a beaucoup touchée. Je reviendrai prendre part aux répétitions dès que je m'en sentirai capable, c'est-à-dire le plus tôt possible.

En vous remerciant encore,

Sincèrement vôtre,

Amalia Lepore

Nicolas Gounilev à Malia

18 mars 1957

Chère Amalia,

Nous vous avons tous espérée samedi dernier, Gisèle a dû vous le dire. J'ai encore tenu le rôle de la servante Anfissa, ce qui, vous en conviendrez, finit par devenir cocasse… Je vous attends et vous espère pour notre séance du 24.

Avec toute mon affection,

Nicolas Gounilev

Malia à Gisèle
9 avril 1957
Ma chère Gisèle,

J'espère que tes Pâques ont été réussies et que le repas dans la famille de ton oncle n'a pas été aussi barbant que tu le craignais! Je suis sûre qu'en fait, vous avez tous beaucoup ri, très bien mangé, un peu bu, et que tu t'es bien amusée. C'est cela, n'est-ce pas? Ah, mais ce n'était vraiment pas la peine de me faire tout un tableau terrible et redouté de ce repas! Tu es une vraie actrice, toi, au moins! Tandis que moi... Eh bien, moi, figure-toi que j'ai une nouvelle à t'annoncer: tu croyais Monsieur Gounilev metteur en scène? Eh bien, pas du tout. Il est prestidigitateur! À la dernière répétition où tu n'étais pas (tu nous as bien manqué d'ailleurs, tout le monde parlait de toi!), il s'est passé une sorte de miracle. Et c'est certainement grâce à lui. J'avais préparé ma scène (tu te souviens que je devais te remplacer exceptionnellement dans ton rôle de Macha) et j'avais sur moi tous mes petits attirails de crise de panique, mouchoirs, verre d'eau. Bref, je commence à dire mon texte, j'attends le moment où je vais me mettre à trembler, puis à rouglr, je chiffonne machinalement mon mouchoir dans ma poche et ... il ne se passe rien. Je continue, Gisèle, je n'ai pas rougi! Je ne me suis pas effondrée! C'est la première fois de ma vie que je parle devant du monde sans trembler! En sortant du théâtre, Monsieur Gounilev m'a dit que c'était le signe que le théâtre était en moi et qu'il voulait que j'aie un rôle dans la pièce ! Peut-être la servante (mais elle est trop vieille pour moi), enfin il voudrait que je sois sur scène! J'aime tellement ton rôle, tu sais, celui de Macha. Ce caractère à la fois secret et entier. Je sais, je n'ai fait que te remplacer, mais j'ai vraiment l'impression qu'il m'a habitée, ce rôle, l'autre jour. Gisèle, je suis tellement heureuse ! J'ai l'impression que ma vie s'envole. Je t'embrasse de tout mon cœur,

Malia

*

Malia avait vu Nicolas Gounilev pour la première fois le 9 décembre. C'était un mercredi. Ensuite, elle s'en souvint chaque 9 du mois parce qu'elle avait un drôle de rapport avec les chiffres et les couleurs, qu'elle était née un 19 février et qu'elle était un peu superstitieuse. Cela, elle le tenait de sa mère qui voyait des « signes » partout. Mais Angèle, c'était plutôt la Sainte Vierge. Malia, c'était les chiffres et les couleurs. Chaque chiffre avait une couleur, chaque jour de la semaine, chaque note de la gamme, chaque son, chaque mot, chaque nom propre. Ce mercredi 9 décembre était particulier parce le chiffre, le jour de la semaine et le mot mercredi étaient tous de la même couleur : jaune pâle. Une conjonction planétaire exceptionnelle. Et que ce jour-là, Nicolas Gounilev portait un ensemble « coquille d'œuf ». Elle n'y pensa pas sur le moment, bien sûr. Mais après, souvent. D'autant plus souvent qu'en soi, elle n'aimait guère le jaune, n'en portait jamais, jaune clair encore moins. Mais elle aima tout de suite Monsieur Gounilev. Ce qu'elle aima en lui était indéfinissable. Rien qui ressemblât, il n'y avait absolument pas à s'y méprendre, à un sentiment courant entre homme et femme. Ce que le commun appellerait un sentiment amoureux. D'une grande banalité. Non, elle n'éprouvait rien de ce genre. Mais une affinité immédiate, du même ordre que cette coïncidence de couleur jaune pâle qui la frappa après coup. Après coup, quand elle se demandait pourquoi elle avait tant de plaisir à courir au cours du mercredi soir (jaune pâle) et aux répétitions du samedi après-midi (vert amande), elle se le confirmait : c'était un sentiment tout à fait inhabituel, presque surnaturel. Parfois, Monsieur Gounilev portait son costume coquille d'œuf ou une cravate vert amande et Malia se plaisait à penser que c'était un clin d'œil, un signe particulier, un langage codé compréhensible d'eux seuls. Comme si ce sixième sens, ce sens singulièrement imaginatif qui associait les chiffres, les mots et les couleurs, qui jusqu'alors avait été son partage solitaire, avait trouvé un interlocuteur secret.

Par la suite, elle releva toutes les dates comportant un 9, quand elles tombaient sur un jour de théâtre. Même les 19 et les 29.

D'ailleurs, quand elle y réfléchissait, tout se confondait : sa fascination pour la scène, les lumières de la rampe et le noir dans la salle, sa passion pour le théâtre, pouvait-elle dire, son amour des mots, de la belle langue, ses obsessions secrètes qui mêlaient chiffres et poèmes, son angoisse, de séance en séance surmontée, à l'idée d'être sur un plateau devant un public, l'attention particulière que prêtait Monsieur Gounilev à ce handicap qui pour lui semblait presque être un atout.

Elle ne pouvait pas ne pas remarquer que le jour béni où il lui proposa un rôle dans Tchekhov était un 9. Le 9 avril.

*

Malia à Nicolas Gounilev
24 avril 1957
Cher Monsieur Gounilev,

Je voulais d'abord vous remercier pour l'autre jour, le thé à la russe était très bon et je n'étais jamais allée dans un salon de thé. Aussi, je n'ai pas osé vous le dire de vive voix, mais je suis extrêmement embarrassée par votre proposition de continuer, même provisoirement, à jouer

Macha. Le rôle est destiné à mon amie Gisèle et pour rien au monde, je ne voudrais lui faire de la peine. Vous savez que c'est par Gisèle que je suis venue au cours. Il serait par trop injuste qu'en plus de votre considération dont je suis très fière, je l'avoue, je prenne un rôle auquel elle aspire depuis longtemps. Je vous demande donc de bien vouloir me proposer un autre rôle, sans lui parler, bien sûr, de cette lettre, afin qu'aucune ombre ne soit entre nous. Tout ce que vous me proposerez me conviendra, soyez sans souci de mon côté, je ne me destine pas, comme Gisèle, au théâtre, c'est donc beaucoup moins important pour moi.

Vous remerciant, je suis, très respectueusement

Vôtre,

Malia

Nicolas Gounilev à Malia,

27 avril 1957

Chère Malia,

N'ayez aucun souci, je ferai en sorte de ne pas froisser Gisèle. Pour l'instant, rien n'est arrêté, je me donne encore quelques semaines pour décider des rôles, nous ne faisons que des essais. S'il se confirmait que celui de Macha vous convienne décidément mieux qu'à elle et que Monsieur le Directeur en soit d'accord, je proposerais à Gisèle le rôle d'Olga qui est tout aussi important.

Quoi qu'il arrive, ne vous inquiétez pas, je prendrai tout sous mon bonnet et votre amitié ne courra aucun risque. Je m'y engage.

Ce petit mot pour vous rassurer, je vous dis donc

À mercredi prochain,

Nicolas Gounilev

Angèle à Malia

28 avril 1957

Ma petite fille, la maison est vide et j'ai plus personne à m'occuper. Il y a les animaux, mais c'est pas pareil. Et puis elle fait pitié, la chèvre, à bêler à cause que ton père n'est plus là. Moi, je peux pas la garder, surtout que Silvio veut pas la prendre à cause de sa femme, cette chipie, alors qu'ils ont les moyens. Il dit qu'il est plus un forain, c'est ce qu'il dit, ça c'est sa femme, elle pense qu'à sa nouvelle cuisine en Formica et elle l'aura parce que Silvio, c'est lui, la chèvre maintenant, à faire ce que dit le patron et c'est sûr qu'à peindre des carrosseries toute la journée, ils finiront par l'avoir, leur cuisine. Silvio il se fait quand même du souci pour la Zette, il dit qu'il vaudrait mieux mourir d'un coup plutôt que de tristesse. Tiens, quelquefois, j'ai envie de mourir, moi aussi, tellement j'ai la pierre sur le cœur. Allez, c'est des larmes de vieille bête, va! Je t'embrasse bien,

Ta maman

Angèle à Malia
8 mai 1957
Ma petite Malia,

Je crois que tu m'aimes plus. D'ailleurs, tu fais trop de choses que penser à ta mère. Et puis ce professeur de théâtre, il devrait te le dire que tu ne peux pas tout faire, à courir partout. Et puis, vois-tu, j'ai une bonne raison pour que tu viennes. J'ai quelque chose que je voudrais te dire. Alors ne tarde pas,

Affections de
Ta mère

Angèle à Malia
10 mai 1957

Je suis contente que tu viens manger avec moi dimanche, mais tu téléphoneras pas au café au dernier moment pour dire que tu peux pas. C'est parce qu'il y a quelque chose que je veux te dire, tu n'es encore pas venue l'autre jour et ça m'a fait pleurer parce que j'avais décidé de te dire cette chose. Ça me fait toujours la pierre sur le cœur. En plus je suis bien fatiguée à cause que mon cauchemar est revenu. Viens sûr,

Maman

Malia à Angèle (carte postale, La Foire de Paris, 1957)

20 mai 1957

Maman, je ne viendrai pas dimanche prochain, j'ai trop de travail. Ne sois pas fâchée, mais la pierre sur le cœur dont tu m'as parlé avant-hier, c'est moi qui l'ai aujourd'hui. Elle est passée de toi à moi. J'ai affreusement mal de ce que tu m'as dit. Tu comprends, n'est-ce pas ? J'ai besoin de reprendre mes esprits, de réfléchir avant que nous nous reparlions. Ne sois pas triste, je t'aime autant qu'avant, mais à l'instant, je ne sais plus où j'en suis.

Je t'embrasse,

Malia

Nicolas Gounilev à Malia (carte de visite rayée « Nicolas Alexeïevitch Gounilev, metteur en scène »)

21 mai 1957

Très chère Malia, merci pour votre confiance, merci d'avoir su que j'étais votre profond ami qui vous comprend et vous soutient dans ce nouveau coup de la vie. Je voudrais aussi être celui qui vous protège. Avec ma tendresse et mon affection, A. Gounilev

Angèle à Malia,

25 mai 1957

Ma petite fille, je vois bien que je t'ai fait de la peine, ça me retourne les sangs. Je suis allée sur la tombe hier et je lui ai expliqué. Parce que lui, il voulait te le dire, à la fin, qu'il était pas ton vrai papa. C'est moi qui voulais pas. Mais tu l'aurais su par Silvio. Déjà, il l'aurait dit à sa mégère un jour. C'est quand ça s'est passé qu'il l'a su, Silvio, j'étais déjà grosse quand ils sont revenus de la tournée d'été et lui, il avait 10 ans, il a demandé pourquoi j'étais comme ça. Donc, c'est sûr que tu l'aurais appris un jour et moi je préfère que ça soit par moi. Je voudrais que tu viennes vite pour être bien sûre que tu m'aimes toujours autant

Ta chère maman

Malia à Angèle,

29 mai 1957

Ma petite maman,

Pardon de ne pas avoir répondu plus tôt à ta dernière lettre. J'ai vraiment eu besoin de « digérer ». Je suis assez vieille pour comprendre que la vie ne va pas tout droit. J'ai la chance d'avoir pour amie ma chère Gisèle et nos conversations m'aident à comprendre que nous devons accepter ses « accidents ». Maman, je ne te reproche rien, même si j'ai très mal, dans mon cœur, à la pensée que celui que j'ai appelé « papa » depuis ma naissance n'était pas mon vrai père. Mais ce qui me fait plus mal que tout, c'est le mensonge. Pourquoi ne m'avez-vous rien dit ? Pourquoi n'ai-je pas pu serrer papa dans mes bras avant qu'il ne disparaisse ? Pourquoi l'as-tu empêché de me parler alors qu'il le voulait ? Et surtout, pourquoi, l'autre jour, as-tu refusé de me dire qui était mon vrai père ? Nous étions bouleversées toutes les deux, je n'ai pas insisté. Mais j'ai besoin de savoir.

Je t'aimerai toujours quoi qu'il arrive.

Malia

*

Alors voilà. En 1937, Angèle et Matteo étaient mariés depuis trois ans et toujours pas d'enfant. Matteo avait déjà eu Silvio, c'était Angèle qui ne pouvait pas. Elle en perdait la raison. Là-dessus, Matteo et Silvio partirent pendant cinq mois en tournée et Angèle fauta avec un « Monsieur ». C'est ce qu'elle raconta à Malia, ce fameux dimanche de mai. Et puis elle se mit à pleurer si fort, avec des sanglots, qu'un moment, elle ne put poursuivre. Si bouleversée qu'elle fût à l'annonce du véritable statut de Matteo auprès d'elle, Malia insista pour savoir qui était le Monsieur.

– Alors, c'est mon père, tu dois me dire qui il

était. Qui était-ce, maman ? Je dois le savoir. Tu as promis.

Angèle cachait sa tête dans ses mains, ses épaules étaient secouées de hoquets. Malia fut prise de pitié et de colère. Et puis elle se mit à pleurer, elle aussi, et elle sentait ses larmes couler avec un dégoût d'elle-même et de sa mère. Angèle répétait comme une machine qu'elle ne savait pas, que le Monsieur était parti très vite, très loin, à l'étranger, peut-être même en Italie. Malia dit :

– Alors c'était de la famille de Matteo ?

Un instant elle fut traversée par un éclair de soulagement. Un émigré italien, comme Matteo, un parent riche qui avait connu une autre fortune que Matteo, le petit émigré calabrais.

Elle insistait :

– Un parent de Matteo ? Un cousin ? Tu le connaissais avant ?

Un parent italien, cela aurait amorti la peine, lui aurait rendu un peu son père. Matteo, l'Italie. Les choses auraient retrouvé une sorte de place. Mais Angèle secouait lamentablement la tête. Une grosse larme coula qu'elle écrasa de son pouce noirci et fendillé. Elle répétait qu'elle ne savait plus, elle ne savait pas, en fait, pas où, en Italie, peut-être plutôt au Nord. Cherche dans ta mémoire, maman, c'est maintenant qu'il faut chercher. Une autre larme vint grossir le sillon noirâtre le long de son nez. Angèle faisait mine de chercher, prenait sa tête dans ses mains, plissait son front, mais Malia voyait dans ses yeux, dans l'expression de son visage, qu'elle ne cherchait rien. Seulement à échapper aux questions. Malia sentit une colère sourde monter en elle, un sentiment qu'elle connaissait mal. Qu'est-ce qu'il t'a dit, cet homme ? Il t'a aimée ? Elle avait haussé la voix, cela ne lui arrivait jamais. Angèle la regarda timidement, oh, ce regard, Malia le détesta, à la fois timide et buté. Angèle ne savait plus, elle avait oublié tout ce qu'il avait dit. Malia était debout, appuyée contre la cuisinière, elle tapa du pied. Cela ne tenait pas debout. Elle le lui dit.

– Ça ne tient pas debout, ce que tu racontes !

Angèle fit tomber sa chaise en se levant et se dirigea vers la porte, en traînant ses pantoufles, courbée en deux, s'essuyant le visage à son tablier. Malia la rattrapa d'un bond, la prit par le bras, la força à se retourner. Jamais elle n'avait senti en elle une telle violence. Elle s'entendit hurler au visage de sa mère :

– Qui est mon père ?

Et puis elle vit la figure d'Angèle, déformée, ravagée, elle ne reconnaissait plus sa mère, elle ne se reconnaissait plus elle-même. Elle courut s'enfermer dans sa chambre, décrocha du mur tous les petits cadres avec les photos d'elle, les jeta à terre avant de se laisser tomber sur le lit aux coussins roses qu'elle détestait. Elle pleura longtemps, se vida de ses larmes. Bien plus tard, il faisait encore jour, mais le soleil avait disparu, elle sortit de sa chambre. Angèle était assise à la cuisine, les deux mains posées sur la toile cirée, le regard fixe, comme si elle regardait la pendule, hébétée, et la pendule semblait plus vivante qu'elle. Malia dit doucement :

– Pardon, maman… Je te prie de m'excuser.

Et Angèle se mit à parler d'une voix monocorde. Elle dit le pardon de la faute, octroyé par le bon Dieu et par Matteo. Elle dit des paroles sans suite, elle parla de la virginité de la Sainte Vierge, de Marie-Madeleine, de sa très grande faute, de sa très grande joie, de sa grossesse inespérée. Et puis elle raconta comment elle avait décidé de ne pas « faire passer » l'enfant, elle connaissait les herbes qui auraient pu aider, par sa mère, la vieille Dédée qui était sage femme, « ta grand-mère, je ne t'ai jamais dit », et qui savait tout ça et qui lui avait transmis. Elle raconta les souffrances, le ventre comme une pierre, comment Malia était née dans la chambre, l'hiver 1938, à Sens, très vite, très facilement, deux heures de contractions, rien pour une première naissance… Tous les détails. Et puis l'accouchement, la douleur, le bonheur, les eaux, le sang, le placenta, « tu es née coiffée, sais-tu ? » À cet instant, pendant tout cet interminable moment, elle avait un visage de folle, Angèle, « Tu sais que ça porte chance, de naître coiffée ? » Un visage qui faisait peur. Malia avait mal de ce visage de sa mère, elle aurait voulu lui dire « Maman, arrête! », mais Angèle ne s'arrêtait plus, à présent, Malia voulait des mots, elle lui en donnait, un flot ininterrompu, des paroles incohérentes, elle racontait le poêle en fer-blanc qu'avait fabriqué Matteo, et les voisines venues l'aider, et le poids du bébé à la naissance, et son premier cri. Malia avait la bouche sèche, l'impression que sa langue collait à son palais, et puis d'être en cire, paralysée. Angèle parlait comme en extase. Malia hurla « Arrête ! » Il y eut un silence brutal, mécanique. Puis, Angèle se remit à pleurer bruyamment et Malia ne pouvait plus être tendre avec elle, elle se sentait dure et fermée. À un moment, Angèle voulut lui prendre la main et Malia retira sa main brusquement, elle n'avait pas envie d'être touchée par sa mère. Elle dit encore : « Je ne veux pas entendre ça, je veux juste savoir qui est mon père. »

Angèle rabattit son tablier sur sa figure dévastée et poussa des cris de bête blessée, entre deux hoquets, elle relevait la tête « me faire ça à moi, après tout ce que j'ai souffert », elle se levait, tournait dans la cuisine, accusait Malia d'avoir été de connivence avec Matteo, puis elle s'accusait elle-même « d'avoir tout dit », elle n'aurait jamais dû, maintenant ça allait lui « retomber sur le dos ». Malia ne dit plus rien. Elle attendit que ça s'arrête. La nuit était tombée, elle alluma le plafonnier au-dessus de la table. Puis elle se leva, fit bouillir de l'eau dans une casserole, mit une poignée de tilleul dans un bol avec un sucre et demi, servit sa mère. Elle-même n'en prit pas. Elle ne parla plus qu'une seule fois, bien plus tard, pour dire : « Maman, va te coucher, tu dois être fatiguée. Je vais essayer d'attraper le dernier train pour Paris. »

*

Malia à Gisèle (carte postale, La Fontaine Médicis, au Luxembourg)

5 juin 1957

Ma chère Gisèle

Je viens de recevoir ta petite carte de Chartres. Je suis un peu triste que tu prolonges ton séjour, égoïstement, je l'avoue : je suis encore sous le coup de la terrible scène qui a eu lieu entre ma mère et moi l'autre jour et j'avais bien besoin de ta présence amicale ! Cela a été bien difficile. Quand reviens-tu, finalement ? Oh, j'ai hâte de pouvoir te parler !

Malia à Angèle

6 juin 1957

Maman,

Je te remercie de m'avoir dit un petit bout de la vérité. Mais j'ai besoin d'en savoir plus. Je ne peux croire que l'on ne se souvienne pas de l'homme avec qui on a eu une relation d'amour. Je veux savoir à quoi il ressemblait, était-il grand, petit, comment vous vous êtes connus, s'il connaît mon existence. Cela ne m'empêchera jamais de cultiver le souvenir de mon papa Matteo. Mais cela, je dois le savoir. Maman, on ne peut pas cacher les choses très importantes qui se sont passées dans nos vies. Un jour la vérité explose et alors elle fait mal. J'ai lu un livre d'un docteur, un docteur de l'âme, si tu veux, il dit qu'au fond de notre âme il y a une partie qui s'appelle l'« inconscient ». Si on essaie de se cacher des choses, cet inconscient les fera ressortir quand même, comme pour se venger, parfois même sous la forme d'une maladie grave. Alors, tu vois, il vaut vraiment mieux se parler.

Je t'embrasse, Malia

Angèle à Malia

8 juin 1957

Ma grande,

Dommage que tu tournes tout au drame. Alors j'aurais pas dû te le dire, finalement ! Je suis sûre que c'est

Gisèle qui te tourne la tête. Il faut pas écouter les autres, ce qu'ils disent. Parce que tu vois, j'ai eu beaucoup de mal à t'avoir et te raconter tout ça, ça me retourne dans mes souvenirs. Alors, je préfère pas. Si tu viens dimanche, ça me soulagera,

Maman

Qu'est-ce qu'il dit, le docteur, sur les maladies dans le livre que tu dis?

Nicolas Gounilev à Malia

10 juin 1957

Voulez-vous faire une promenade après demain? Nous visiterons la Sainte-Chapelle et le Louvre, je vous montrerai le tableau de Poussin dont je vous ai parlé, l'Enlèvement des Sabines, et puis l'autoportrait de Rembrandt, l'ombre et la lumière dans le regard, vous n'avez pas oublié? En deux heures, nous aurons tout juste le temps. Voulez-vous? Si je ne reçois pas de réponse, je vous attendrai devant la fontaine Saint-Michel, tout près de chez vous. Si vous ne pouvez pas, vous pouvez me faire prévenir en téléphonant au café en bas de chez moi qui prend tous mes messages: PORt-royal 78 10. On me préviendra.

J'espère à demain,

Vôtre,

N. Gounilev

Nicolas Gounilev à Malia,

13 juin 1957

Chère Amalia,

J'étais très heureux de notre promenade d'hier. Nous avons vu de belles choses et nous avons toujours besoin de beauté. La beauté nous porte dans les moments doux comme dans les moments difficiles. J'étais aussi heureux de pouvoir être celui sur lequel vous avez choisi un instant de reposer votre chère tête, trop lourde à porter après les révélations que vous a faites votre mère. Comme je comprends votre désarroi ! Mais vous devez faire confiance à votre maman et être bien certaine que ce que fait une mère aimante ne peut pas être du côté du mal. Tôt ou tard, vous saurez qui était votre vrai père et vous vous apaiserez. En attendant, je veux demeurer l'épaule fraternelle sur laquelle vous pouvez vous appuyer. Je voudrais être bien sûr que vous le savez, que vous n'en doutez pas ? Je me promets de vous emmener voir l'adaptation des Possédés *par Albert Camus dont nous avons parlé, la pièce devrait être donnée à l'automne, sans doute à la Huchette, avec l'actrice Maria Casarès que vous devez absolument voir ! En attendant, je vous réitère ma proposition de vous faire travailler votre scène, le jour qui vous conviendrait, à mon domicile. Nous pourrions aussi parler de littérature russe puisque Tolstoï vous intéresse (bien qu'étant un aristocrate, n'est-ce pas…?), ce dont je me félicite. Je partage l'appartement d'une vieille dame russe tout ce qu'il y a de plus correcte, « à l'ancienne », l'ancienne Russie, bien sûr. Si par hasard, vous la rencontriez, je vous demanderais seulement de ne pas faire état de vos opinions politiques sous peine de me voir congédié de cet appartement...*

Vous pouvez me joindre par le canal téléphonique que je vous ai indiqué (PORt-royal 78 10) quand vous voulez, si vous laissez un message, on me le transmettra dans la journée.

Je vous embrasse, très chère Malia,

Votre tout dévoué,

Nicolas Gounilev

Nicolas Gounilev à Malia

18 juin 1957

Ma chère Amalia,

Oui, bien sûr, je vous verrai bien volontiers jeudi après votre cours de russe pour parler de votre scène (et perfectionner votre accent en russe, si vous voulez). Je profite de ce petit échange épistolaire pour vous dire de ces choses qu'il est parfois plus aisé d'écrire : savez-vous qu'en plus d'être très douée pour le théâtre, vous êtes belle ? Ce n'est pas ici un compliment facile et futile. Quand je dis « en plus », je veux dire en réalité que le théâtre, ce que nous faisons ensemble depuis quelques semaines, vous a, en quelque sorte, rendue à vous-même. En vous regardant jouer l'autre jour, j'ai littéralement pensé (pardonnez-moi le cliché!) à une fleur qui s'épanouit. Une très belle fleur, Amalia. De celles que l'on voudrait à la fois cueillir et surtout ne pas toucher... Mais à propos de «toucher», je le suis, moi, extrêmement, à l'idée (narcissique, peut-être, mais tant pis, elle me plaît!) que vous étudiez le russe un peu à cause de moi... Rassurez-moi: un peu, un tout petit peu? Et pour vos autres raisons, chère, chère Amalia, permettez-moi d'être beaucoup plus sévère et même de vous gronder. Vous êtes jeune, pleine d'enthousiasme, de grands et généreux idéaux. Et d'illusions. Et vous êtes une tête de mule! Tellement que je doute pouvoir vous convaincre de renoncer à cette adhésion absurde au parti communiste. Mais savez-vous ce que sont les communistes? Des criminels! Staline a assassiné des millions de personnes et asservi des millions d'autres. C'est cela, la vérité du communisme. Ouvrez vos yeux, Amalia! Mon père a été assassiné par les bolcheviks en 1919, comme des milliers d'autres désignés à leur haine au seul motif qu'ils appartenaient à une certaine classe sociale, et malgré toute l'affection que je vous porte, je désapprouve violemment votre attirance pour ce parti et votre aveuglement. Voilà, c'est dit. Passons à autre chose. Je terminerai cette lettre avec optimisme et confiance: je veux croire que votre motivation pour l'étude du russe se situe du bon côté. Et vous savez maintenant pour moi quel est le bon côté.

Je suis bien désolé pour votre maman, il doit certainement s'agir d'une dépression nerveuse, cela peut arriver lors de la perte d'un proche. Je souhaite de tout cœur que le médecin trouve le remède qui la soulagera.

Sauf contrordre, je vous retrouverai donc jeudi en huit à 4 heures pour une tasse de thé, à l'adresse suivante : 18, rue du Parc-Montsouris, Paris XIV*e. Au 2e étage.*

Avec beaucoup de tendresse,

Nicolas Gounilev

Angèle à Malia (carte postale, Bures-sur-Yvette, l'église)

20 juin 1957

Ma petite fille,

Ça fait deux semaines que t'es pas venue, ça me fait souffrir du cœur, comme tu sais. En plus, je t'ai demandé l'autre fois les maladies que ça pouvait faire, ce que dit le docteur que tu as parlé, celui du livre, bien que j'y croive pas, c'est des histoires de bonnes femmes, mais bon, tu m'as dit que tu savais pas. Mais après, j'ai pensé que s'il le dit dans son livre, c'est qu'il doit bien savoir, ce docteur-là, Alors s'il te plaît, est-ce que tu peux regarder dans le livre et me le dire ? C'est parce que ça m'intéresse. Je suis contente parce que tu vas venir dimanche.

Ta mère

Malia à Nicolas Gounilev

28 juin 1957

Cher Monsieur Gounilev,

J'ai terminé hier soir Le Théâtre dans la vie *de Nicolas Evreinoff, que vous m'avez prêté. Je le trouve passionnant et je comprends mieux toutes les indications que vous nous donnez pour notre Tchekhov. Il me semble que vous et votre compatriote allez à l'encontre du « théâtre de l'absurde » qui est bien en vogue en ce moment. Est-ce que je me trompe ? Mais aussi ce fameux théâtre de l'absurde, j'ai l'impression parfois que je pourrais l'écrire, rien qu'en transcrivant les échanges avec ma mère ! Et même parfois avec mes amies. Chacun parle de sa fenêtre. Personne ne se comprend, parce que personne ne s'écoute. J'espère que vous ne me trouvez pas présomptueuse. Je vous ai beaucoup parlé de moi, de mon enfance, de mes soucis familiaux. Je ne voudrais pas être indiscrète, mais j'aimerais tant que vous me parliez de votre enfance, de votre jeunesse en Russie, de votre arrivée à Paris. Je serai bien contente de prendre un rafraîchissement au café* Le Triomphe *mercredi prochain entre mon cours de russe et notre répétition, comme vous me le proposez, d'ailleurs je vous rendrai votre livre*

Bien amicalement,

Malia

*

En milieu d'après-midi, le *Triomphe*, au coin du boulevard des Invalides, était presque vide. La grande salle carrelée fleurait bon la bière tirée au tonneau, il y faisait calme et tiède. Un client était accoudé au comptoir d'étain, un garçon balayait la sciure sur le plancher. Nicolas et Malia s'assirent à une table près de la vitre. Il commanda un sandwich et Malia s'étonna qu'il n'eût pas mangé à 4 heures de l'après-midi. Elle rougit aussitôt de cette pensée très intime qui lui était venue et il sourit en la regardant.

– Il y a quelque chose...?

Elle secoua la tête, le serveur vint à son secours, il n'y avait plus de saucisson.

– Alors rillettes, ça va très bien.

Malia sortit de son sac le livre d'Evreinoff sur le théâtre.

– Vraiment intéressant. Il y a tant de choses là-dedans, je ne sais pas si je suis capable de vous en parler...

– Vous n'êtes pas obligée, je suis content qu'il vous ait plu.

Nicolas mastiquait joyeusement son sandwich et but une grande gorgée de bière ambrée. Il n'essuya pas la moustache blanche laissée par la mousse et fit une grimace de clown, elle éclata de rire. Elle se détendait. Elle lui raconta que quand elle était petite, Matteo la déridait en faisant des pitreries dont il n'était jamais à court. Il avait en particulier un don d'imitateur extraordinaire et imitait à sa demande tous les gens qu'ils n'aimaient pas. Cela pouvait durer des heures, jusqu'à ce qu'Angèle passe une tête :

– Tu n'as pas bientôt fini de faire le singe devant la petite !

– Je crois que je me serais bien entendu avec votre père, disait Nicolas. Et Malia était heureuse, elle ne rectifiait pas « votre père ». Un peu plus tard, elle lui demanda avec insistance de lui raconter la Russie, l'arrivée à Paris.

– Vous n'en parlez jamais, c'était tellement… terrible ?

Il posa ses deux mains à plat sur la table en la regardant, puis baissa la tête et il semblait à Malia qu'il regardait ses mains. Après un temps qui parut infiniment long, il murmura :

– J'avais 9 ans, je vous raconterai un jour. Tellement bas que Malia approcha sa tête de la sienne. Il répéta :

– Je vous raconterai… Et puis il ajouta :

– Au fond, je ne sais même pas ce dont je me souviens. J'ai l'impression que ma vie a commencé à Paris, bien plus tard, d'ailleurs, après ce qu'il est convenu d'appeler l'enfance… Avec la troupe des Pitoëff. À 19 ans. Vous voyez… Nicolas sortit de sa poche son éternel paquet de Gitanes.

– Georges et Ludmilla Pitoëff m'ont ouvert à la vie. Je me suis mis au monde moi-même, grâce à eux. Je leur dois tout. Quand Georges est mort, en 1939, je me suis senti orphelin. Je n'avais pas éprouvé cela à la mort de mon père, j'étais très jeune, bien sûr… Mais quand Georges Pitoëff est mort, ce qu'il m'avait donné était si grand, si vivant, si riche, que je savais ce qu'il me restait à faire. À cette époque, j'avais une liaison…

Il s'arrêta, comme si les mots lui avaient échappé.

– Je suis sot, je ne devrais pas vous dire ça. C'est tellement vieux. Et puis justement, si. Voilà, c'est ça que je dois vous dire : j'y ai mis fin à ce moment-là parce que ma vie, ma vraie vie, c'était le théâtre. Je ne voulais me marier qu'avec le théâtre. Et puis, dans ce temps-là, j'étais un crève-la-faim. Un type sur qui personne ne pouvait compter… Tout ce monde immense que m'avait ouvert Pitoëff était là, devant moi, libre comme l'air. Je devais être libre, moi aussi, mon seul amour c'était le théâtre. C'est cela que je pensais. Malia crut voir une ombre passer sur son visage. C'est ça, j'ai pensé que pour être libre, il fallait… Seul le théâtre comptait. J'ai compris bien après que les choses se nourrissent entre elles, que pour créer, il fallait aussi vivre, aimer… C'était trop tard.

Nicolas s'était tu. Il tirait longuement sur sa cigarette sans prendre garde à la cendre qui tombait sur la table. Il se brûla les doigts, jeta son mégot et l'écrasa sous son pied. Le garçon mit ostensiblement sur la table un deuxième cendrier et vida le premier. Nicolas sourit.

– Vous me demandiez de vous parler de mon enfance ? C'est cela ? Il se mit à rire.

– Je n'ai d'enfance que ce que je viens de vous dire, cette passion exclusive pour les choses ou les êtres que j'aimais. Je ne sais pas quand ça a commencé, j'ai oublié. J'ai toujours été ailleurs que là où étaient les autres, ceux de ma famille, aussi loin que je me souvienne. D'ailleurs, vous voyez, quand vous me demandez de remonter dans mes souvenirs, c'est cela qui remonte, cet appétit féroce qui me consumait depuis toujours. Tout le reste, la révolution, les bolcheviks, la tristesse de ma mère, le palais sur la Moïka, les traîneaux sur la neige et même la mort de mon père, c'est une vaste scène sur laquelle passent des ombres. Et moi, je regarde et je rêve de monter sur la scène. Et j'arrive à Paris, et tout le monde parle russe, et pleure et chante. Et je monte sur la scène et je commence à vivre ma vie. Vous comprenez ?

Malia hochait doucement la tête, elle n'était pas sûre de comprendre. Cela n'avait pas d'importance. En même temps, elle se demandait vaguement si sa vie à elle avait déjà commencé. Si elle n'était pas en train de commencer maintenant, là, à l'instant.

Nicolas ralluma une cigarette, regarda sa montre et posa de la monnaie sur la table.

– 6 heures moins 10. Nous devons y aller.

Ils n'avaient pas vu le temps passer, ils allaient être en retard. C'était gênant d'arriver en retard ensemble. En se levant, il ajouta : « J'allais oublier… Le rôle de Macha est pour vous. Je l'ai décidé. Je parlerai à Gisèle tout à l'heure. Elle sera parfaite dans Olga. » Malia ouvrit la bouche, mais aucun son ne sortit. Son cœur cognait dans sa poitrine, il lui sembla que ses jambes ne la porteraient pas. Mais déjà Nicolas l'attendait à la porte, l'air pressé, souriant.

Sur le trottoir, ils marchèrent assez loin l'un de l'autre. À quelques pas derrière lui, Malia eut un éblouissement et ferma les yeux. On était le 19 juin. C'était ridicule, mais quelque chose de terrible arrivait. Elle avait 19 ans, les chiffres, ces neuf, la couleur du vertige : 19 ans. Cette chose incroyable, ce rôle, ce bonheur, le théâtre, et puis « lui ». Et cette autre, tragique, la trahison. Et encore lui, leur professeur à toutes les deux, cet homme fait, tellement plus âgé qu'elle, vingt-sept ans de différence. Elle n'y avait jamais songé. Vingt-sept ans. Se pouvait-il que pendant vingt sept ans, il eut existé, vécu, aimé, alors qu'elle n'était pas ?

Ils arrivèrent juste à l'heure, lui d'abord, elle ensuite, mais presque en même temps. Les autres avaient déjà investi le plateau. Ils étaient les derniers. Il sembla à Malia que Gisèle la regardait avec haine. Elle en souffrit pendant toute la répétition.

*

Nicolas Gounilev à Malia,

1er juillet 1957

Je suis encore sous le charme de Macha. Si je ne craignais de me jeter à moi-même les fleurs que vous seule méritez, je me féliciterais sans retenue du choix de vous dans ce rôle. Chaque séance le confirme davantage, vous possédez toutes les qualités qui font Macha : la retenue et le feu intérieur, la modestie et la générosité, la rectitude morale en même temps que la passion. Vous êtes faite de ces contradictions profondément humaines qui, lorsqu'elles se laissent voir, font l'essence du grand acteur. Travaillez beaucoup votre texte. Il faut que les mots deviennent une langue maternelle pour que votre nature s'exprime sans obstacle sur scène. J'ai une autre requête : appelez-moi par mon prénom et non plus « Monsieur ».

Votre tout dévoué,

Nicolas Gounilev

Malia à Nicolas Gounilev (carte postale « La gare d'Orsay »)

3 juillet 1957

Cher Monsieur Gounilev,

Pardonnez-moi, je ne peux pas vous appeler par votre prénom, comme vous me le demandez. Pas encore, en tout cas. Je voudrais pourtant vous remercier pour vos compliments qui me vont droit au cœur. C'est vrai que j'ai le sentiment d'être pleinement moi-même lorsque je joue Macha. C'est un sentiment étrange, d'ailleurs, que celui de me retrouver moi-même et d'être pourtant différente de celle que je suis réellement. Il me semble parfois que je vous dois tout. Toutes mes amitiés,

Malia

*

Gisèle avait accusé le coup. Elle avait compris depuis la dernière séance, à rien, des choses minuscules, une intonation particulière que Monsieur Gounilev avait avec Malia, de nouvelles indications de jeu, qu'elle, Gisèle, ne serait pas Macha ; elle avait deviné, senti, de toute son intuition que la vraie Macha, c'était précisément sa presque sœur, celle dont elle n'avait pas le droit d'être jalouse, « la petite Malia ». Mais elle ne se l'était pas dit explicitement. Les deux sœurs prises dans le tourment des *Trois Sœurs*. Comme ce n'était pas dicible, cette chose-là, elle ne se l'était pas dite.

Quand Nicolas Gounilev la convoqua un samedi après la répétition, la pensée d'un changement de rôle lui traversa l'esprit, mais elle l'en chassa aussitôt. Elle deviendrait actrice, c'était son parcours, son idée, son projet de toujours, la grâce de Malia était passagère, conjoncturelle, sa présence au cours Simon aussi, tout cela n'avait rien à voir avec le projet énorme, considérable, d'une vie. Elle se rendit d'un pas alerte au rendez-vous, au café *Le Métro*.

Monsieur Gounilev le lui dit sans détour :

– J'ai décidé de donner le rôle de Macha à Amalia. Malia.

Gisèle rectifia. Elle la connaissait mieux que lui. Piètre contenance destinée à masquer l'effondrement intérieur.

– Elle s'appelle Malia.

– Je préfère le prénom dans son entier. La personne est entière, elle aussi, absolument entière. C'est pour cela qu'elle doit être Macha. Le théâtre est une école de franchise, Gisèle. Malia est Macha. Vous ne devez pas être triste.

Il roulait légèrement les « r ». Elle le détesta. Il avait raison. Le théâtre était le jeu vrai de la vie. Et Malia était absolument entière. Quelque chose en Gisèle se mit à hurler « Et moi ? Et moi ? »

Gounilev lui proposa le rôle d'Olga. Un rôle moins passionné, plus contrôlé, plus « grande sœur ». Au reste, il ne proposa pas. Il l'informa. Gentiment, mais fermement.

– Pour la prochaine fois, il faudra savoir les répliques de la première scène.

Il paya les deux cafés et se leva.

– Je suis très content. Très content. Ça sera très bien. Vous, Olga. Amalia, Macha.

Il lui tendit la main avec un sourire heureux et répéta :

– Je suis très content.

Gisèle marcha jusqu'aux Invalides. Elle attendit longtemps l'autobus 69. Elle se sentait comme si elle avait bu, un peu lourde, un peu éméchée. Elle descendit à Solférino et décida de rentrer à pied pour se calmer avant d'arriver à la maison. Ne pas rencontrer Malia tout de suite. Prendre l'air. Comprendre. Accepter. Passer de Macha à Olga. De Gisèle Macha à Gisèle Olga. Malia Macha. Ce rôle qu'elle avait tant convoité. Et ce mot qui frappait contre ses tempes sans vouloir se dire et qui brusquement explosa en passant devant Saint-Germain-des-Prés : trahison. Et aussi un autre : jalousie. Et là, c'était une question à elle-même. Jalouse, elle ?

Gisèle erra longtemps dans le Quartier latin, poussant jusqu'au jardin des Plantes puis remontant jusqu'au Panthéon par la rue Mouffetard, avant de se décider à rentrer rue Guisarde. Marchant lentement, avec la question. Elle décida que non, non, le mot « jalouse » n'était pas d'actualité. Au reste, ce n'était pas dans sa nature. Et puis avec Malia, c'était simplement impensable. Ces pensées l'apaisèrent et elle reprit insensiblement le chemin de la maison.

Quand elle arriva place Saint-Sulpice, il faisait nuit. L'appartement était vide. Malia n'était pas encore rentrée. Gisèle dîna seule sur la table de la cuisine, d'une omelette et d'un reste de tarte aux pommes. Elle traîna, lut quelques pages de Balzac, *La Fille aux yeux d'or*, décida de se coucher, rangea distraitement des livres et des papiers qui traînaient sur le buffet. Elle vidait machinalement la corbeille à papier quand elle aperçut sur une feuille roulée en boule l'écriture de Malia. Une lettre. Une lettre non terminée, à elle destinée et qui manifestement n'avait pas été envoyée.

Elle la déplia et recommença à souffrir. Sans comprendre vraiment pourquoi, d'ailleurs.

*

Malia à Gisèle (lettre sans date, inachevée et jetée au panier)

Chère Gisèle, tu es ma grande amie, je devrais dire la seule et pourtant, j'ai du mal à me confier à toi comme à la seconde moitié de moi-même. Parfois je te trouve si dure. Si tu savais comme j'aimerais être libre de tracer mon chemin sans toutes ces complications, ces choses terribles qui, tout à coup, viennent obstruer mon horizon. Mais ce n'est pas possible. J'aime ma mère, c'est une vraie souffrance de la savoir «comme ça», c'est-à-dire d'abord si différente et puis maintenant, depuis quelque temps, si étrange. Comprends qu'il me faut «avaler» tout en même temps: la mort de mon père, l'annonce qu'il n'était pas mon père, et puis maintenant le comportement bizarre de ma mère, peut-être un dérangement mental. Au passage, il me faut aussi comprendre que Silvio n'est même pas mon demi-frère. Nous n'avons aucun lien de sang. Silvio n'est rien pour moi. À présent que je sais cela, je comprends mieux cet éloignement que j'ai toujours senti avec lui. Quand on a soif de vie et d'avenir, le fardeau du passé est bien lourd à porter. Et pourtant, tu devrais assez me connaître pour savoir que non, je ne vais pas «prendre mes distances» avec ma mère, maintenant qu'elle a plus que jamais besoin de ma présence et de ma tendresse. Mes «priorités» attendront. J'ai 19 ans, elle en a 60 et elle n'a plus que moi au monde. Aujourd'hui, les rôles se sont inversés. Je me sens responsable d'elle.

Et puis je veux te dire autre chose: cela concerne M. Gounilev. Je ne sais trop d'ailleurs que dire. Voilà: M. Gounilev m'a invitée dans un salon de thé, chez Pons *devant le Luxembourg. Surtout ne va pas croire ce qui n'est pas. C'est seulement une affinité particulière que je ressens, et qui existe dans les deux sens. Il m'a semblé que je devais te le dire avant que tu ne partes pour l'été. Monsieur Gounilev a été très affectueux depuis la mort de Matteo et je lui ai parlé de tous mes soucis. Il m'a dit des choses qui m'ont beaucoup réconfortée. Je voulais que tu le saches afin que tu ne croies pas que je te cache quelque chose. Je me sens si fragile en ce moment que j'ai peur de ta réaction. Si tu allais te fâcher, je crois que je ne le supporterais pas… (lettre raturée, rayée et chiffonnée ensuite)*

Malia à Gisèle (carte postale, Paris, Le lion de Belfort)

4 juillet 1957

Ma chère Gisèle,

Je viens de trouver ton petit mot me disant que tu pars à Chartres, ne t'inquiète pas, je serai très bien toute seule. Je suis une vraie Parisienne, maintenant! Mais pourquoi ce départ précipité? J'aurais tellement aimé avoir une dernière petite soirée ensemble avant tes vacances… Je t'ai trouvée bien fatiguée ces derniers temps. Rassure-moi vite sur ta santé. Quant à moi, je vais à Bures dimanche. Ma mère semble disposée à me révéler la vérité... Transmet mes amitiés à ta tante,

Je t'embrasse bien fort,

Malia

Nicolas Gounilev à Malia

6 juillet 1957

Chère Malia,

Si vous saviez combien je suis heureux que notre amie commune, Gisèle, m'ait si efficacement secondé dans mon souhait de vous voir accepter le rôle ! Je sais, vous avez le trac, c'est bien naturel. Mais le personnage de Macha, c'est vous. Vous n'avez pas à craindre, comme vous me l'avez dit l'autre jour, de ne pas être juste, vous ÊTES Macha. Ce personnage, l'homme de théâtre que je suis l'aime infiniment depuis toujours.

Si vous le désirez, je pourrais vous faire travailler la toute première scène de Macha de manière à ce que vous soyez tout à fait à l'aise sur le plateau, Nous pourrions sans problème disposer du salon chez ma logeuse quelques heures en après-midi.

Votre dévoué,

Nicolas Gounilev

Malia à Nicolas Gounilev,

7 juillet 1957

Cher Monsieur Gounilev,

Merci de votre lettre. Oui, j'étais contente que tout se passe bien avec Gisèle. Elle n'est pas du tout fâchée, mais je l'ai à peine vue car elle est partie presque aussitôt chez sa tante à Chartres. Je serais donc bien heureuse si je n'avais ce gros souci avec ma mère. Les choses ne s'arrangent pas car elle a totalement perdu le sommeil à cause de mauvais cauchemars qu'elle fait. C'est bien du souci. Heureusement, nos rendez-vous théâtraux me comblent.

Très respectueusement,

Malia

Malia à Gisèle

7 juillet 1957

Ma chère Gisèle

Je suis bien malheureuse de n'avoir aucune nouvelle de toi après que tu sois partie sans me dire au revoir ! J'ai encore eu une scène avec ma mère hier. Le sujet de mon vrai père la met dans un état de folie, presque de démence. Par moments, son visage me fait peur. Nous avons encore pleuré toutes les deux. Je suis encore sortie de mes gonds, c'est la deuxième fois en un mois. Quand j'essaie de la questionner, elle se met à parler de manière complètement incohérente... de son accouchement. Et ça recommence. Gisèle, c'est horrible, je voudrais tant que tu m'aides! Et toi, tu n'es pas là, et peut-être tu m'en veux de quelque chose et je ne sais pas quoi, et j'ai envie de pleurer. Que dois-je faire avec ma mère? Je ne suis pas sûre que nous nous fassions mutuellement du bien. Mais elle me semble si malade, maintenant, que je me sens bien coupable. Donne-moi de tes nouvelles, je serai heureuse d'avoir une enveloppe avec ta bonne écriture sous la porte.

Je t'embrasse,

Malia

Angèle à Malia

8 juillet 1957

Ma petite fille, figure-toi bien que je l'ai ouvert, ton fameux livre puisque tu veux rien me dire, bien que t'as souligné des phrases. On comprend rien à ce qu'il dit, ce docteur, malgré que figure-toi que je sais lire, ça ne dit rien du tout. Tu le reprendras, je veux pas que ça traîne chez moi. Tu m'apporteras Jours de France *la prochaine fois, il y a le mariage de BB, il y a des photos, le fils au garagiste me fera un cadre si je lui demande, le Jean-Claude, ça fera bien sur le buffet. Il y en a qui sont gentils. En plus tu te mets en colère, je me demande bien pourquoi, le docteur Frot dit que c'est pas bon pour mon cœur, comme tu sais. Je t'attends au 14 juillet, c'est férié.*

Avec les affections et sans rancune de

Ta mère

Malia à Gisèle (carte postale « Les Halles, le quartier des maraîchers », glissée dans une enveloppe)

10 juillet 1957

Ma chère Gisèle, toujours pas de nouvelles de toi, je guette tous les matins l'arrivée du courrier... J'espère que tu vas bien. Y a-t-il des groseilles ? De mon côté, tout va bien, à part les relations avec ma mère, je crois que je vais espacer mes visites, j'ai organisé quelque chose avec la postière qui a le téléphone et qui la voit souvent. Le fils du garagiste lui fait ses courses et Mme Compans me dit qu'elle va surtout mal quand je viens la voir, ce qui est le comble ! Monsieur Gounilev m'a invitée au cinéma hier, nous avons vu Nuit et Brouillard, *un film sur le sort fait aux Juifs par les nazis. J'en suis encore bouleversée. On a du mal à croire que de telles choses sont vraiment arrivées. Et puis, sais-tu, Monsieur Gounilev m'a proposé de faire une petite excursion au Mont-Saint-Michel, en Normandie, pendant l'été. Comme je n'ai pas de projet de vacances, ce serait l'occasion. Mais je ne sais pas si cela serait très convenable. Qu'en penses-tu ? Réponds-moi vite, s'il te plaît ! Malia*

PS : Inutile de te demander de n'en rien dire à quiconque, même s'il ne s'agit, bien sûr, que d'une très belle amitié, tu le sais.

*

Ces derniers jours de juin 1957, Gisèle les avait passés dans le tourment de la lettre chiffonnée, lue par effraction. Début juillet, elle prit la fuite, littéralement. Elle partit chez sa tante, à Chartres, une semaine avant la date prévue de ses vacances, après plusieurs jours d'une cohabitation pesante. Elle ne s'en était pas expliquée, laissant s'installer avec Malia un douloureux silence fait de l'insupportable soupçon : Malia avait bénéficié du favoritisme de Monsieur Gounilev pour la supplanter dans le rôle de Macha.

Quand elle partit début juillet, rien n'avait été éclairci et Malia demeura seule, souffrant de ce qui lui paraissait une disgrâce aussi inexplicable qu'injuste.

À Chartres, malgré les efforts de Gisèle pour paraître naturelle et détendue, la tante Édith remarqua immédiatement que quelque chose n'allait pas. Elle crut à quelque querelle d'amoureux avec

Philippe et tenta bien, une fois ou deux de parler du voyage en Italie, histoire de tâter le terrain. À quoi Gisèle répondait sans hésitation, mais sans s'appesantir non plus sur une réponse qui aurait pu amener une conversation concernant Malia.

Gisèle s'était sentie trahie. La double peine. Le rôle de Macha, et puis maintenant Monsieur Gounilev. Malia qui depuis toute petite, sans rien faire ou presque, à cause de ses silences habités et de ses yeux de braise, attirait les regards et captait l'attention de tous. Malia qui ne faisait rien pour cela, mais qui de fait, sollicitait la curiosité et appelait la sympathie. Malia attirait depuis toujours, comme un aimant, les hommes comme les femmes. Gisèle l'avait déjà remarqué, dans son cercle d'amis. Elle en avait parfois été légèrement froissée, d'avoir présenté Malia à Philippe, à Geneviève, à Suzanne, à Axelle, et de sentir invariablement l'attraction qu'elle exerçait sur les uns et les autres. Elle ne semblait même pas s'en rendre compte. Alors qu'elle, Gisèle, extravertie, jacasseuse, souvent agaçait.

Bien sûr, la vie n'avait pas été tendre pour Malia. Ce père, brave, mais forain. Brave tout de même. Mais forain. Souvent absent. Mais le sien aussi, à Gisèle, absent. Remarié là-bas, en Amérique. Volatilisé pendant des années, sur l'océan, puis en Amérique. Disparu. Trois visites à Chartres en douze ans.

On pouvait dire qu'elle ne le connaissait plus. Ça lui était égal. Mais entre ce père-là, volatilisé, mais qui avait déposé l'oisillon Gisèle dans le nid de tante Édith, et ce Matteo, toujours sur les routes, abandonnant la précieuse petite Malia entre les griffes de cette mère à moitié folle qui l'empêchait de respirer, qu'est-ce qui valait mieux ? À cette pensée, Gisèle respira un grand coup. À tout prendre, elle n'aurait pas aimé un père forain. Et pourtant, Dieu sait si elle aimait le théâtre. Pas la même chose, rien à voir, même. Et tout était préférable à une mère telle qu'Angèle. Pourtant, du temps de Chartres, quand elles étaient petites, quand Angèle était « la bonne », la bonne Angèle qui préparait des bonnes tartes aux fruits et des œufs en neige, elle ne la voyait pas ainsi. Personne ne se rendait compte, pour Angèle, qu'il y avait quelque chose de spécial avec sa fille, comme une grande ombre qui empêchait Malia de croître dans la lumière de la vie. Et que cette grande ombre, c'était Angèle la menue. Seul le puissant instinct de Malia l'avait poussée hors de cette ombre, comme une plante cherchant le soleil. Cette « bonne Angèle », dont tante Édith disait parfois qu'elle était « un peu piquée, mais un cœur d'or ». Et maintenant... Maintenant, Angèle était devenue un poison pour sa fille. Et Malia commençait à s'en rendre compte. Il ne fallait pas aujourd'hui contrer ce mouvement salvateur par des émotions égoïstes, absurdes, voire intéressées. Non, elle ne devait pas sombrer dans la mesquinerie et la jalousie. Elle devait se montrer digne de la confiance que lui avait toujours témoignée Malia.

La première lettre de Malia arriva à Chartres le 13 juillet. L'avant-veille du départ pour l'Italie. Philippe venait la chercher à Chartres le lendemain, ils passeraient la fête du 14 ensemble, avec son oncle et sa tante, et partiraient le 15.

Gisèle décacheta l'enveloppe avec une émotion incontrôlable. Elle parcourut rapidement le feuillet, le posa, le reprit. Son cœur battait moins vite, moins fort à la deuxième lecture. Quand elle l'eut lue pour la troisième fois, elle se sentit comme apaisée. Tout à coup, il lui sembla qu'elle retrouvait sa place auprès de Malia. Sa place de grande sœur, conseillère, amie. Sa petite Malia. Les choses rentraient dans l'ordre. Cette mère insensée. Il fallait aider Malia, comme elle le pouvait, la protéger d'Angèle.

Gisèle interrogea sa tante sur le passé, l'époque où Angèle était à son service et où elle-même était «Madame Édith». Angèle en tablier, qui faisait la cuisine et la vaisselle, servait à table, prenait soin du linge, astiquait les meubles, passait la plus grande partie de sa journée entre la buanderie, l'office et la cuisine. Mais qui déjà couvait sa fille comme une princesse de contes de fées. Et Malia, qui était tout sauf une princesse. Une enfant profonde, indépendante, généreuse. Généreuse, même à 8 ans, avec sa mère, gardant une distance polie, répondant gentiment à sa folle sollicitude, s'y dérobant parfois, sans violence, mais fermement pour une enfant si jeune. Non, tante Édith ne savait rien. Elle se contenta de dire à Gisèle : « C'était une famille unie. »

Angèle n'avait jamais rien dit qui pût contredire cette affirmation.

Gisèle prit son bloc à lettres et monta dans sa chambre de jeune fille.

Le 15 au matin, alors que Philippe et Gisèle s'apprêtaient à prendre congé de l'oncle et la tante, le facteur arriva avec la carte de Malia.

*

Gisèle à Malia

15 juillet 1957

Ma chère Malia,

J'ai reçu ta lettre hier matin et je m'apprêtais à te poster la mienne quand je reçois ta carte qui m'oblige, je dois dire, à modifier ma réponse. Tu me demandes s'il est convenable de partir en excursion avec Monsieur Gounilev, mais tu fais la réponse toi-même en me demandant de n'en parler à personne ! Qu'attends-tu de moi ? Ma bénédiction sur le fait que tu acceptes la cour, disons le mot, que te fait Monsieur Gounilev? Je te le dis tout net: je ne te la donne pas. Monsieur Gounilev est trop âgé, c'est notre professeur, je trouve la situation inconvenante, et par ailleurs ce serait malhonnête de ta part de lui laisser échafauder la moindre espérance. Mais j'avoue que je suis aussi un peu surprise et déçue qu'un tel homme, pour qui j'ai tant d'estime, puisse te faire cette proposition compromettante. J'ajoute que nous ne savons presque rien de sa vie passée, sinon qu'il a très certainement fréquenté des milieux qui ne sont pas les nôtres. Malia, tu m'obliges à te livrer des informations qui ne te concernaient pas, pensais-je, mais aujourd'hui il en va autrement: je sais (de source sûre) qu'il a vécu en concubinage avec une actrice et que son frère aîné est chauffeur de taxi. Ce n'est pas ton monde, Malia, ce n'est pas notre monde! Et que sais-tu même de sa situation matrimoniale actuelle? Certainement rien, tu es trop jeune pour te permettre de le lui demander! Enfin, pour finir, te rends-tu compte que nous devons tous mener à bien un projet théâtral qui risque forcément de souffrir de cette relation? Tout cela me met, je dois dire, très en colère. Je te pensais sensée, je vois que je me suis trompée. Ce n'est pas ce sentiment que je voulais initialement te transmettre en répondant à ta première lettre. Je te ferai une seconde lettre pendant mon voyage, lorsque je serai plus calme. En te quittant aujourd'hui, je me persuade que tout cela ne me regarde pas. Aussi, je te prie, ne m'en parle plus.

Tu peux m'écrire si nécessaire « Poste restante, Nice »

Je t'embrasse,

Gisèle

Gisèle à Malia (posté de Lyon)

16 juillet 1957

Chère Malia,

Voici la seconde lettre promise. Pour ta mère, je t'ai déjà dit ce que je pensais. On ne peut pas lui en vouloir, mais elle ne te rend pas service. Rien de tout ce qu'elle te raconte n'est clair. Le seul qui t'aurait dit la vérité, c'est Matteo. Tu te souviens qu'il a tenté de te parler sur son lit de mort. Peut-être était-ce de cela ? Il y a aussi ton frère, même si vous n'êtes pas très proches, sans doute sait-il quelque chose. Si tu as vraiment besoin de savoir, pourquoi ne lui écris-tu pas ? Mais si tu veux mon avis, il n'est pas nécessaire de tout savoir sur le passé. Contrairement à toi, je ne pense pas qu'il faille tout se dire entre parents et enfants. Parfois, il vaut mieux rester dans l'ignorance. C'est ce que j'ai choisi de faire et je m'en porte très bien. Malia, ta mère a quelque chose qui pèse dans sa vie, je ne sais pas quoi, mais ce dont je suis sûre, c'est que tu en feras les frais si tu ne prends pas tes distances avec elle. Que tu veuilles savoir qui est ton vrai père, je le comprends, mais une fois cette information obtenue, prends ton envol. Arrache-toi à cette glu dans laquelle elle te maintient! Pardonne ma franchise, je ne pense qu'à toi en te disant cela. La vie est devant, pas derrière, il ne faut pas l'oublier!

Quant à moi, devant, c'est Venise, Vérone et Florence! Après, Philippe rejoint ses parents au Touquet et je repasse une semaine à Chartres autour du 15 août. Je ramènerai un sac plein de tilleul et nous parlerons de tout cela devant un petit verre de Suze (un apéritif que je viens de découvrir, je l'adore!) Je t'embrasse bien,

Gisèle

Malia à Gisèle, (poste restante à Nice)

17 juillet 1957

Gisèle, tu me laisses dans le plus grand des désarrois. Comment peux-tu douter de moi, de ma moralité, de ma conscience? Et comment peux-tu ainsi salir la personne d'un homme qui a eu une vie si dure, une enfance d'émigré, un père tué presque sous ses yeux alors qu'il avait 8 ans, qui a fui sur les routes avec sa mère et son frère, sans argent, qui est arrivé dans un pays dont il ne parlait pas la langue? Oui, son frère est chauffeur de taxi, le mien était bien forain! Pourquoi dis-tu que ce n'est pas « mon monde »? Que sais-tu de « mon monde »? Oh, moi aussi je suis en colère en t'écrivant. Nicolas s'est hissé à la force de ses qualités personnelles jusqu'à ce métier de metteur en scène dans lequel il est aujourd'hui reconnu puisque figure-toi qu'on lui demande de monter Ionesco et Beckett. Comment peux-tu te permettre d'imaginer des choses « immorales » qui ne sont pas ? J'ai l'impression d'être moi-même souillée par tes soupçons injustifiés. Il n'y a entre nous qu'une très belle, très profonde amitié, je ne sais vraiment comment la qualifier en vérité. Et le passé de Monsieur Gounilev ne m'intéresse que parce qu'il éclaire et illumine le présent.

Cependant, ta lettre me fait comprendre que je me suis engagée peut-être trop précipitamment dans cette amitié puisqu'elle n'est pas comprise par ma meilleure amie. Tu connais ma nature passionnée, je dois sans doute m'employer à la tempérer. Je vais essayer de réfléchir pendant l'été, de faire le point en toute honnêteté sur mon amitié avec Nicolas Pavlovitch. Quelle qu'en soit l'issue, cette pause sera salutaire. Mais cela ne proviendra que de ma décision. En aucun cas de la « moralité » dont tu te soucies tant. C'est mon affaire et la mienne seule. Tu as raison, elle ne te concerne pas et de ce fait, tu n'as rien à craindre, pas plus que notre projet de Tchekhov, de ce qui peut se passer ou ne pas se passer entre Nicolas et moi. Et je te le dis très franchement, pour moi-même je ne ferai rien qui mette en péril mes projets d'avenir. Mais tout en t'écrivant cela, Gisèle, je ne sais pas. Je ne sais plus. Oui, je vais sans doute faire une pause. Je t'embrasse, profite bien de ton voyage. Si tu as le temps, réponds-moi quant à ma mère, mon autre cher et douloureux souci.

Malia

*

Deux ans après son arrivée à Paris, Malia découvrait la capitale, avec les yeux de Nicolas. C'était l'été, l'air était tiède, le ciel bleu, semé de petits nuages joufflus. Paris était vide, vaste et ouvert, elle était aimée. Ils se promenaient sans fin, dans cette errance alanguie et alerte, qui donne à ceux qui se découvrent cette acuité particulière, et le regard plus perçant, plus vif, plus précis. Nicolas l'emmenait dans les jardins, à Bagatelle, à Saint-Cloud, au parc Montsouris, à celui des Buttes-Chaumont, lui faisait découvrir les passages couverts et les grands boulevards, les pavillons de Baltard aux Halles, le marché Mouffetard, la manufacture des Gobelins, les impasses plantées de buddléias et les ruelles pavées du XIVe arrondissement. Elle connaissait déjà le parc de Sceaux pour y avoir fait une sortie à 13 ans avec la Maison des Petits Oiseaux, mais elle voulut y retourner avec Nicolas. Leurs conversations étaient infinies, elles touchaient à la vie tout entière, elles étaient sans barrières, sans faux-semblant, pleines de tact et de tendresse. Ils ne se disaient pas tout, mais ils se disaient beaucoup. Nicolas se montrait pour elle ce qu'il était, un homme plus âgé, épris et respectueux. Ils marchaient côte à côte, parfois se tenaient par la main et elle tournait vers lui un visage heureux. Le soir, quand elle frissonnait, il l'entourait de son bras et la raccompagnait rue Guisarde, devant la porte cochère ils se disaient « À demain ».

En ce mois de juillet, presque chaque soir, ils allèrent au cinéma. Malia n'y était allée qu'à de rares occasions, l'argent pour ce genre de sortie étant compté. Nicolas lui fit découvrir Fellini, *La Strada* et *Les Nuits de Cabiria*. Elle adora *Le Mystère Picasso*, de Henri-Georges Clouzot et Nicolas lui montra l'atelier de Picasso pendant la guerre, au 7 de la rue des Grands-Augustins, non loin de chez elle. Et puis il y eut *Nuit et Brouillard*, d'Alain Resnais. C'est elle qui insista pour le voir. Le film était sorti deux ans auparavant et Malia s'étonnait que Nicolas qui connaissait tant de choses ne l'eût pas encore vu.

– Je crois que c'est un film terrible, presque insoutenable, Malia, l'histoire est encore trop proche pour pouvoir être portée de cette manière sur écran.

Elle ne comprenait pas, insistait, ne disait pas que parmi ses camarades des Jeunesses communistes, le génocide des Juifs était un sujet souvent abordé. Ils allèrent voir le film un jeudi soir, sortirent bouleversés tous deux et pour la première fois, ils ne purent parler de ce qui les ébranlait. Ils étaient chacun dans leur chagrin et ce chagrin était si universel et si profond qu'il ne pouvait se partager. Ils ne se revirent que le dimanche soir, Nicolas l'emmena dîner et tacitement, ils ne souhaitèrent pas parler du film. Mais ils avaient retrouvé leur tendresse et le plaisir d'être ensemble.

Aussi lorsqu'à la fin du dîner, il lui prit la main et lui dit tout à trac « Malia, je vais vous faire une infidélité », elle resta interdite et rougit violemment. Dans l'ombre vacillante des bougies, cela ne se voyait pas. Il poursuivit, tout en gardant sa main serrée dans la sienne.

– Une opportunité extraordinaire. On me propose de monter la pièce de Ionesco, *La Cantatrice chauve*, au théâtre de la Huchette. Pour le mois d'octobre. Je vais travailler tout l'été comme un fou…

La pièce inaugurale du « théâtre de l'absurde » avait été créée en 1955 au Babylone, avait fait scandale avant d'être portée aux nues par les tenants du « nouveau théâtre », avec des articles de fond de grands auteurs. Nicolas posa sur la table un numéro de *La Nouvelle Revue Française*.

– Lisez l'article d'Albert Camus et de Jean Paulhan, faites-moi plaisir …

Malia prenait la revue d'une main tremblante. Elle dit :

– Mais c'est... c'est formidable.

Nicolas sourit jusqu'aux oreilles.

– Avec une magnifique actrice, Tsilla Chelton. Et le décorateur Jacques Noël. Première lecture 30 juillet. Début des répétitions 1er septembre. À partir de demain, je m'enferme... Je n'en reviens toujours pas... C'est Louis Malle qui a avancé l'argent de la production. Une aubaine incroyable!

Il avait lâché sa main, semblait surexcité. Malia ne réagissait pas. Elle répétait d'une voix atone:

– Louis Malle...

– Oui, le cinéaste, celui qui a fait *Le Monde du silence*. Il y croit, à ce théâtre, lui!

Il toucha *La Revue* du plat de la main.

– Lui comme eux! Il faut aller de l'avant! Une proposition pareille, ça ne se refuse pas. Bien sûr que j'ai accepté. Moi, le petit émigré russe!

Il se parlait à lui-même. Malia détourna la tête pour qu'il ne voie pas la larme qui roulait lentement sur sa joue droite. Alors il s'aperçut de son absence, regarda le profil pur ourlé par la lumière jaune de la bougie. Comme dans un tableau de La Tour, pensa-t-il. Une onde de tendresse l'envahit et il prit brusquement conscience d'elle, de son silence. Il dit:

– Vous êtes fâchée?

Elle se tourna vers lui.

– Pourquoi serais-je fâchée?

– Parce que je vais travailler tout l'été... Vous... vous l'avez compris ?

Bien sûr qu'elle avait compris. Pourtant, elle tressaillit de manière imperceptible, parce qu'il le disait avec les vrais mots. Dans la pénombre, il le sentit et cela lui fit mal.

– Je ne pourrai pas quitter Paris...

C'était lui qui avait proposé quelque temps auparavant l'excursion au Mont-Saint-Michel. On prendrait le train gare d'Orsay, on traverserait le Perche, vous verrez comme c'est beau, cette campagne, les longères aux toits rouges, les vallonnements si doux, les petites vallées où courent des ruisseaux à cresson, on mettrait la tête à la fenêtre, on clignerait des yeux pour ne pas recevoir les escarbilles de la locomotive. On s'arrêterait à Rennes où l'on passerait la nuit, Nicolas connaissait une auberge. En tout bien tout honneur, cela allait sans dire. L'auberge s'appelait *Au Lion d'Or*, et Nicolas avait expliqué sans sourire à Malia que c'était un jeu de mots pour « au lit on dort ». Elle avait éclaté de rire. Comme il aimait son rire ! Le lendemain, on prendrait un autorail qui courait dans d'autres champs, du seigle, semés de bleuets et de marguerites, aux abords des près salés, des moutons tachés de noir. Ils se réjouissaient de ce premier voyage. En amis. Malia se sentait, pour la première fois, non pas tant aimée que prise au sérieux. De quel «sérieux» s'agissait-il? Elle n'aurait su le dire. Mais c'était un sentiment nouveau, délicieux et réconfortant. Avec Nicolas, elle se sentait elle-même, les choses étaient faciles, sans malentendu, jamais.

D'un coup, le visage de Nicolas se brouillait devant ses yeux, il lui sembla que tout son corps à elle s'affaissait. «Je vais vous faire une infidélité… Je serai pris tout l'été… Je ne pourrai pas… Une magnifique actrice…» Les paroles de Nicolas se mirent à cogner durement, sans ordre, dans sa tête. Brusquement, le monde s'inversait, la douceur se muait en cruauté. Malia se sentait incapable de réfléchir, de calmer les battements de son cœur, si forts qu'elle pensa que Nicolas les entendait. Les mots outrés de Gisèle se mirent à danser devant ses yeux «Que sais-tu même de sa situation matrimoniale?» Rien. Elle ne savait rien. Tout se mit à défiler en un infernal manège de noms et d'images. Tsilla Chelton, Maria Casarès, Ionesco, l'escapade abandonnée, le Mont-Saint-Michel, Macha, eux deux au restaurant, les promenades sans fin, Bergman. Et une certitude: tout cela prenait fin ici et maintenant. Tout de suite.

Il la regardait, cherchait à déchiffrer ce qui se passait en elle, son visage était inquiet, il voulut lui reprendre la main. Elle la retira vivement, non pas de manière brutale, mais comme instinctivement. Malia se leva, enfila rapidement sa veste et partit sans que

Nicolas ait eu le temps de réagir. Elle s'enfuit littéralement du restaurant.

Dans la rue, elle se mit à courir.

*

Nicolas Gounilev à Malia

18 juillet 1957,

Mon Dieu, Amalia, qu'ai-je fait? Me suis-je mal exprimé? Se peut-il que je vous aie blessée, que surgisse entre nous l'ombre d'un malentendu? Si cela était, je ne supporterais pas qu'il dure au-delà de votre lecture de cette lettre. Je vous supplie de me retrouver demain en fin de journée au café Le Capoulade *au coin de la rue Soufflot et du boulevard Saint-Michel. Je vous y attendrai de 5 heures à 7 heures. Ne prenez pas la peine de me répondre. Venez.*

Venez, je vous en prie,

Vôtre, dévoué,

Nicolas G.

Nicolas Gounilev à Malia

23 juillet 1957

Je vous ai attendue, vous n'êtes pas venue. Je ne peux aujourd'hui, malgré le chagrin qui m'étreint, faire autre chose que m'incliner avec le plus profond des respects devant votre décision. Je suis un vieil homme, pour vous. J'ai sans doute rêvé, avec le reste de jeunesse que tout artiste porte éternellement en lui, qu'une relation vraie, profonde, était possible avec une belle personne telle que vous. Je comprends, Amalia, je comprends parfaitement, oh si vous saviez à quel point, que cela n'est pas possible. J'étais dans une chimère, vous êtes dans la réalité. Aussi je me retire sans bruit. Ne vous inquiétez pas, nous nous retrouverons sans douleur et sans arrière-pensée au mois d'octobre pour notre pièce.

Je vous embrasse,

Nicolas Gounilev

Malia à Nina

4 août 1957

Chère Nina,

J'espère que vous passez de bonnes vacances et que les enfants vont bien. Pour moi, je ne vous cacherai pas que j'ai bien des soucis. L'état de ma mère s'aggrave. Elle est agitée et incohérente. Ses cauchemars la rendent folle, elle a totalement perdu le sommeil. Parfois, elle crie, pleure, s'emporte, perd la tête, me supplie de lui pardonner je ne sais quoi. Ou alors elle se met à rire sans raison. Je me demande si je ne devrais pas l'amener à consulter un médecin. Peut-être auriez-vous un avis sur la question, car je me sens un peu perdue. Mon amie

Gisèle pense que ma mère me fait du chantage, voire du mal, ce qui est sûrement exagéré. Elle pense que je devrais couper les ponts. Je ne sais plus comment agir.

En attendant, je suis bien malheureuse d'avoir dû « couper les ponts » avec Monsieur Gounilev, sous l'influence, il faut le dire, de Gisèle qui trouvait déplacé que je le fréquente. Oh, je vous l'ai dit, une fréquentation bien convenable. Et qui m'apportait tant de bonheurs. Alors j'ai décidé de faire une petite pause, après une petite querelle sans importance. Mais je suis triste.

Je vous embrasse

Malia

Nina à Malia

11 août 1957

Ma chère Malia,

Voilà bien une drôle d'amie qui te conseille de « couper les ponts » avec ceux que tu aimes ! À croire qu'elle est jalouse ! Veux-tu un conseil ? N'écoute pas ceux des autres ! Fais confiance à ton instinct ! Quelle idée de t'éloigner de quelqu'un qui t'apporte « tant de bonheurs »... Pour ce que tu me dis de ta maman, nous en avions déjà parlé le premier été. À l'époque, souviens-toi, tu étais troublée par la « différence de nature » (c'étaient tes propres termes) que tu ressentais entre toi et ta famille. Je ne pense pas que les révélations sur ton père suffisent à expliquer ce sentiment qui est en toi depuis longtemps. En revanche, il me semble que le secret que ta maman a gardé en elle si longtemps et qu'elle a fini par te dire pourrait expliquer son comportement. Je ne sais pas si cela suffit, mais c'est un élément. Ce que tu me dis d'elle depuis un an me paraît en effet justifier qu'elle consulte un psychiatre. Je me renseignerai pour toi, Robert a un très bon ami médecin qui nous indiquera le meilleur service hospitalier où consulter à peu de frais. Cela pour répondre à ton inquiétude par du bon sens. Mais encore une fois, ta maman est d'abord une excellente personne, dont la vie a été dure et qui a toute mon indulgence. Ta situation est suffisamment complexe pour que quiconque se mêle de ce que tu dois faire ou ressentir. Ce que je peux te dire aujourd'hui, indépendamment d'un réel problème de santé mentale (ce qui reste à voir) : tu as une mère adorable, très différente de toi (mais tous les parents le sont !), tu n'as aucune raison de « couper les ponts » ! À plus forte raison si elle est malade. Et si cela devait être le cas, nous t'aiderions, Robert et moi, à trouver la meilleure solution. En attendant, tu dois, au contraire, l'accompagner de toute la compréhension dont tu es capable. Sois sûre, de mon côté, que je t'accompagnerai de la mienne.

Je t'embrasse bien,

Nina

Malia à Nicolas Gounilev (carte postale, Paris, la fontaine Médicis, jardin du Luxembourg)

14 août 1957

Cher Nicolas, pardon, pardonnez-moi, j'ai été sotte, j'ai pris la fuite, je suis si malheureuse, je voudrais vous expliquer. Me le permettrez-vous ?

Malia

Nicolas Gounilev à Malia (pneumatique)

15 août 1957

Je vous attends ce soir à 6 heures à la fontaine Médicis, jardin du Luxembourg, tendresses, Nicolas

Nicolas Gounilev à Amalia

22 août 1957

Chère Malia,

Comme je suis heureux !

L'horizon s'ouvre à nouveau ! Et comme vous êtes curieuse ! Vous voulez connaître tout de moi. Cependant, chère, chère Malia, je vous le dois, il me semble que nous nous devons l'un à l'autre l'honnêteté et la vérité. Vous m'avez demandé de vous raconter mon enfance et cette fois je vais le faire. En m'adressant cette requête hier, vos yeux pétillaient et vous n'avez pas pu ne pas remarquer que les miens se sont remplis de larmes. Mon enfance s'est achevée brutalement en 1919, j'avais 9 ans, dont huit et demi passés dans l'insouciance et la gaieté d'une famille aimante et unie, de plus aisée matériellement. C'est en fuyant les bolcheviks que nous avons appris l'exécution de mon père en même temps que nous comprenions l'indicible horreur : mon père avait été fusillé en réponse à notre fuite. J'ai grandi coupable de cette mort. La seconde partie de mon enfance, qui commence à Paris vers l'âge de 10 ans, est marquée du sceau de cette culpabilité. J'ai tout fait pour y échapper. Je suis devenu mauvais. J'ai été un vaurien, un adolescent rebelle, dissipé, puis révolté, j'ai refusé de poursuivre les études qui m'auraient acquis un métier « honorable », j'ai désespéré ma vieille mère, mené une vie dissolue, j'ai été alcoolique, je me suis brouillé avec ma sœur et son mari. Et puis, il y a eu le théâtre. Je me suis jeté dans le théâtre comme dans une source fraîche, qui pouvait me laver de tous mes errements, de toutes mes souillures. Le théâtre m'a sauvé de l'abîme où je sombrais. Voilà, vous savez presque tout, chère Amalia, je me suis confessé honnêtement, j'attends votre absolution,

Votre dévoué, aimant,

Nicolas

*

Nicolas Pavlovitch était arrivé en 1919 de Saint-Pétersbourg avec sa mère, sa sœur Varvara, son frère Micha et sa plus jeune sœur, Lisaveta. Ils étaient partis sans rien ou presque, un mince bagage confectionné en hâte, en pleine nuit, ayant appris que l'on viendrait incessamment arrêter le reste de la famille princière. Le père, Alexei Alexeievitch, prince Gounilev, avait été embastillé à la forteresse Pierre-et-Paul et risquait d'un jour à l'autre la peine de mort, à laquelle était promise toute l'aristocratie de Saint-Pétersbourg, particulièrement le premier cercle, proche du tsar Nicolas II. Cette nuit de novembre 1918, ils étaient cinq à avoir été brutalement jetés dans les basses fosses des prisons Pierre-et-Paul : avec le prince Gounilev croupissaient depuis deux mois le comte Mychkine, le général Tcherpnine, l'archiprêtre Terentiev et Dmitri Pechkov, un haut fonctionnaire du régime tsariste.

Durant deux interminables mois, les prisonniers n'avaient eu droit qu'à de rares lettres et les familles éplorées avaient interdiction de sortir de leurs palais. En résidence surveillée, la princesse Gounilev et ses enfants touchaient de maigres subsides de leurs geôliers et une ration de charbon insuffisante pour chauffer les vastes salles glacées du palais. À Noël, la petite Lisaveta contracta le croup. Devant le refus catégorique de ses gardiens d'appeler un médecin, la princesse avait accepté, la mort dans l'âme, la proposition d'un de ses domestiques : s'il se trouvait une occasion, on s'enfuirait chez un sien parent qui vivait à Bruxelles et pouvait loger la famille princière. En janvier, l'occasion se présenta. Le 17, dans la matinée, le bruit se répandit que les familles des prisonniers, ainsi que les domestiques qui leur étaient fidèles allaient également être arrêtés. Le soir, la rumeur se confirma. Il fallut partir dans la nuit.

Le valet Stipa organisa la fuite et le voyage jusqu'en Belgique. C'est ainsi que la princesse Pélagie Levna Gounilev, née Tupalev, accepta de plier bagages en quelques heures, de s'engouffrer dans une mauvaise voiture qui attendait à la porte du parc, près des potagers, et de voyager sans fermer un œil. On roula toute la nuit. À chaque cahot, la petite princesse Lisaveta manquait d'étouffer sous des quintes effroyables. Dix fois, on crut qu'elle allait passer. En milieu de journée, on atteignait la petite gare de campagne de Cheremenko, aux marches de la Prusse orientale. Au moment de monter dans le train, un télégramme apprit à la famille que le prince Gounilev avait été fusillé à l'aube, une heure après que ses bourreaux eurent appris la fuite de sa famille.

Ils furent accueillis le surlendemain à Bruxelles du mieux qu'il se pouvait, par un couple de maraîchers et leurs deux fils. La parenté avec le valet Stipa était de son côté à elle puisque la jeune femme était sa propre sœur, partie avec son mari avant le début des troubles pour tenter de vivre d'un petit commerce de légumes dans des conditions moins misérables que dans leur Russie natale. Il paraissait qu'en Belgique on pouvait faire du commerce, et l'avenir leur donna raison.

Nicolas avait 8 ans, son frère Micha, 12. Ils partageaient la chambre des deux autres garçons qui avaient sensiblement les mêmes âges et parlaient un russe mâtiné de flamand qui les faisait beaucoup rire. Très vite, ils formèrent une bande dépenaillée et joyeuse qui fréquentait peu l'école et vivait beaucoup dans la rue. Ce début de vie normale retrouvée sous des auspices aussi gais plut infiniment aux deux petits princes en exil, mais ne dura guère. Lisaveta mourut du croup en février et la princesse, éperdue de chagrin, décida de gagner Paris, où, disait-on, se trouvait regroupée toute une société russe du meilleur monde et de même condition qu'elle.

Le 7 mars 1919, on prit donc le train à la gare du Midi, en wagon de 3e classe.

À Paris, la famille Gounilev fut chaleureusement accueillie par une diaspora russe qui grossissait de semaine en semaine et qui reconstituait, dans le XIIIe arrondissement de Paris, l'atmosphère festive et désespérée de l'âme russe, amplifiée encore par l'émigration forcée. On buvait de la vodka, on vilipendait les « assassins » rouges, on pleurait de concert sur les morts, les emprisonnés, la patrie perdue, la religion bafouée. Et puis on essayait de vivre dans cette société nouvelle, avec cette nouvelle langue que l'on n'apprendrait jamais parfaitement parce qu'elle n'utilisait ni les mêmes consonnes, ni les mêmes diphtongues, ni la même manière de produire les sons et d'utiliser sa gorge, sa langue et ses lèvres que le russe natal. On vivait entre soi.

Les Gounilev s'installèrent au 22, de la rue Barraut, à la Butte-aux-Cailles, des maisonnettes bizarrement construites sur le toit d'un petit immeuble, qui ressemblaient à des isbas, toutes pareilles. Il y avait là neuf familles russes, certaines avaient un jardinet où elles cultivaient des légumes et parfois plantaient un frêle bouleau ou un lilas. La princesse Pélagie écrivait de petits poèmes nostalgiques qu'elle prit l'habitude de lire à haute voix, une fois par semaine, à un cercle d'amis. Elle vécut loin de la foule française, une foule qui qualifiait volontiers les émigrés russes de « barbares », et se les représentait dans des maisons en rondins, entourés de loups et de Baba Yaga, ou encore vivant dans une somptuosité moyenâgeuse peuplée d'assassins, d'élixirs et de croyances effroyables. Elle ne sortait que pour faire ses commissions, pour se rendre à l'église orthodoxe, quelques rues plus loin, vêtue comme à Pétersbourg, de ses longues robes de faille et ses mantelets en velours, ou pour visiter quelque pope avec qui elle communiait dans l'horreur du bolchevisme.

Pélagie Levna resta murée dans ses cercles, ses parties de cartes et ses popes, sortant à peine, baragouinant un français épouvantable, entourée des photographies jaunies du bonheur passé. Le palais Gounilev, la datcha à Ioronosovo, le prince Alexis, moustachu, droit dans ses bottes cirées, sanglé dans son uniforme, raidi par les épaulettes, un peu fort, le regard fier, sabre au côté.

Le soir, les jeunes se réunissaient volontiers pour chanter, accompagnés par les balalaïkas, parfois un violon. Et, sur la Butte-aux-Cailles, depuis le toit du 22, ce lieu improbable à mi-chemin entre la rue et le ciel, on entendait monter les sanglots du violon sur le raclement emporté des balalaïkas. Parfois, des voisins venaient écouter ces mélopées exotiques et, quelle que fût leur opinion politique, l'empathie avec « les Russes » se manifestait sans question à l'écoute de cette « âme slave » distillée avec tant d'innocence et de confiance. Par la musique, on se mit à voisiner. Entre deux chansons, on buvait ferme, une des chanteuses savait tirer les cartes et les liens se rapprochèrent encore, surtout entre les plus jeunes, ceux qui avaient appris le français. Les cartes parlaient de la pluie et du beau temps, un peu de politique et beaucoup d'amour. Elles favorisaient des affinités qui n'osaient se dire entre Russes et Français. On était, pour ce qui était des Russes, dans des sociétés de mariages arrangés, mêlées par la force du destin à des petites gens, pour qui ces choses-là étaient, somme toute, plus simples. Quand les cartes parlaient, on prenait date pour se les faire confirmer par le marc de café. C'est ainsi que Mikhaïl Pavlovitch Gounilev, dit Micha, se fiança, quelques années plus tard, à une jeune Française dont les parents tenaient commerce de Bois et Charbon non loin. Au cours de ces soirées, des possibilités d'embauche étaient évoquées, aux Halles ou chez un patron pour les moins exigeants et les plus jeunes, dans les compagnies de taxis pour les autres, la majorité pour laquelle il n'aurait su être question de se déclasser en ayant un patron. Quelques jeunes chanteuses trouvèrent un emploi dans les premiers « cabarets russes » qui s'ouvraient. On poussait alors jusque dans le Ve arrondissement pour les entendre, au *Coq d'Or*, le VIe, *Chez Dominique*, parfois même jusqu'au VIIIe, *Chez Olga*.

Les enfants fréquentèrent les écoles du quartier, réussissant plus ou moins bien leurs études selon qu'ils étaient arrivés avant ou après 10 ans et avaient assimilé la langue. Micha Pavlovitch apprit mal, détesta l'école, devint un adolescent maussade et rétif, et ne s'intégra que tardivement en réussissant son permis de conduire les taxis. À 21 ans, il fut engagé dans la compagnie G7 à laquelle il donna par la suite la plus grande partie de sa vie, épousa l'année suivante la fille des Bois et charbon qui demanda le divorce deux ans plus tard parce qu'il s'obstinait à vouloir faire le taxi la nuit. En 1926, il fit partie de l'Association des chauffeurs de taxi russes et il eut même sa carte, ce dont il était excessivement fier.

Nicolas, lui, devint français. Il le voulut de toutes ses forces, dès la première année d'école. Il apprit la langue en six mois, ne roulait plus les « r » en huitième, était tête de classe en sixième. Il se passionna pour la littérature, française et russe, avec une prédilection pour les œuvres théâtrales. Sa mère aurait voulu qu'il échappe au sort commun de presque toute la jeunesse masculine de la colonie russe, chauffeur de taxi ou artisan. Elle l'aurait voulu sur la voie droite et claire d'un métier « honorable », docteur ou avocat. Il choisit les sentiers tortueux de la rébellion, avant de trouver son chemin dans l'ombre des coulisses, le mystère des grands cintres et des rideaux de scène, le noir velouté d'une salle en haleine.

En classe de seconde, il tomba dans le théâtre.

En 1926, alors qu'il usait ses fonds de pantalon sur les bancs du lycée, une cartonnette imprimée avait circulé dans la cour: « À treize heures précises, le jeudi 16 décembre 1926, matinée offerte à la jeunesse intellectuelle de Paris par Georges et Ludmilla Pitoëff et leur compagnie: *La Tragique Histoire d'Hamlet, prince de Danemark.* Mise en scène, décors et costumes de Pitoëff. »

Au sortir de cette représentation du 16 décembre, Nicolas titubait comme un homme qui a vu la foudre.

*

Malia à Nina, Poste restante, Le Palais, à Belle-Île-en-Mer

28 août 1957

Chère Nina,

J'aimerais vous écrire une grande lettre et je ne sais pas si j'oserai. Parce qu'au fond, je n'ai rien d'autre à vous raconter que ma très grande affection et la tristesse que j'ai de ne plus avoir mes deux angelots sous les yeux et cela, il n'y a pas besoin d'un roman pour le dire. Paris est vide comme l'an dernier au mois d'août. Mais alors, je revenais de nos merveilleuses vacances dont j'étais encore tout emplie. Aujourd'hui, c'est différent. Nina, je voudrais vous le dire, je crois que Monsieur Gounilev ne m'est pas indifférent. Oh non, pas du tout! Nous passons de bien beaux moments ensemble en dehors du travail de théâtre. J'aimerais pouvoir vous parler de cela car je ne sais pas trop quoi faire et je vous ai dit que Gisèle désapprouvait notre relation. D'ailleurs, c'est avec lui que je vais souvent au cinéma, il m'initie aux grands metteurs en scène de cinéma, j'ai aussi vu Guerre et Paix, d'après le roman de Tolstoï, avec Audrey Hepburn et Henry Fonda et Ils aimaient la vie d'Andrzej Wajda, sur l'insurrection de Varsovie. Nicolas Goulinev m'apprend beaucoup, beaucoup. Chère Nina, voudriez-vous bien me dire tout à fait franchement ce que vous pensez de cela. Est-ce mal ?

J'espère que vous me répondrez, surtout n'hésitez pas à me gronder si vous pensez qu'il faut le faire. Pardon, chère Nina, de vous embêter avec mes problèmes de jeune fille !

Je vous envoie toutes mes amitiés et j'embrasse les enfants,

Malia

Nina à Malia

1er septembre 1957

Chère Malia

Je te réponds sans tarder parce que j'ai senti dans ta lettre une urgence et aussi parce que tu me parles d'un sujet grave. Tu tournes autour du pot, comme on dit, depuis longtemps. Dans ta dernière lettre, tu me parlais du « bonheur » que Nicolas Gounilev t'apportait. Est-ce *du mot « amour » dont tu as peur ? Ou bien est-ce du regard des autres ? Si c'est le cas, je te dirai que tu dois t'affranchir de ce regard-là. C'est vrai, il est votre professeur, il est plus âgé, cela peut faire jaser. Mais si votre relation est sincère, tout cela tombera un jour comme un fruit mûr. Et puis je vais te dire quelque chose qui peut te paraître bizarre : c'est normal d'avoir peur d'un vrai amour, peur de se perdre comme on peut craindre de se perdre dans une ville inconnue. Mais l'amour est la grande aventure de la vie et ne pas s'y abandonner, c'est refuser la vie. Voilà ce que je pense. Plus pragmatiquement, tâche quand même de rester discrète si tu ne veux pas éveiller des jalousies. Cela étant, je pense que tu ne dois rien précipiter, les choses qui doivent se faire s'installent souvent dans la lenteur, dans le partage de moments différents, du quotidien, de l'exceptionnel, du silence, de l'absence… Voilà ce que je peux te dire aujourd'hui. Pour le reste, c'est la lande fleurie, la mer, les promenades, la pêche aux crabes dans les rochers, tout ce que tu as connu l'an dernier. Et toi aussi, tu nous manques ! Mais nous serons à Paris le 12, nous nous revoyons donc bientôt.*

J'espère que ta maman se porte mieux, transmets-lui mon bon souvenir, s'il te plaît.

Je t'embrasse bien fort,

Nina

Malia à Nicolas

3 septembre 1957

Cher Nicolas,

Je ne peux pas croire que vous soyez l'affreux personnage que vous décrivez, ni même que vous l'ayez été. Ou plutôt, je crois que ce que vous êtes, au fond, c'est l'enfant sur lequel vous ne voulez pas vous étendre dans votre lettre : le petit garçon rieur de Saint-Pétersbourg. Celui d'avant la disparition terrible de votre père. C'est sans doute pour cela que vous aimez le théâtre et que le théâtre vous aime. Je ne crois pas que le théâtre aimerait être servi par quelqu'un qui se vautre dans les gouffres amers de la turpitude. Il aime la beauté et la grandeur d'âme, ne pensez-vous pas ? Il choisit ses serviteurs parmi les meilleurs et ne pardonne pas aux faux amis, ceux qui ne donnent pas le meilleur d'eux-mêmes. C'est aussi pour cela que je refuse de vous voir comme le jeune homme plein de vices que vous voulez me montrer. Serait-ce pour me faire peur que vous dressez ce portrait, cher Nicolas Pavlovitch ?

De tout cœur,

Amalia

Nicolas à Malia

5 septembre 1957

Chère Amalia,

J'aime beaucoup « cher Nicolas Pavlovitch ». Si mon

patronyme vous permet définitivement de ne plus m'appeler « Monsieur », alors abusez-en. Mais cher ange candide – Dieu sait que je ne voudrais pas donner le moindre coup d'ongle à cette merveilleuse candeur, et pourtant votre goût pour le théâtre m'y oblige, par honnêteté –, que pensez-vous que soit l'homme, je veux dire l'humain ? Un être merveilleux, noble, bon, sans tache ? Est-ce à moi de vous ouvrir les yeux sur la complexité, les contradictions de l'âme humaine ? Sans doute, puisque vous m'arrogez le titre de « meilleur », puisque surtout vous me dites une chose qui me touche infiniment : « le théâtre vous aime ». Au nom de cette affinité particulière qui nous unit, le théâtre et moi, je vais vous dire de quoi est fait ce lien : de la noblesse et de la turpitude, de la bonté et de la méchanceté, de l'amour et de la haine. Le théâtre, c'est l'or et le métal, les limbes ensoleillés et les gouffres noirs. C'est de cela qu'il parle, c'est au nom de tous ces antagonismes qu'il prend la parole. Chère Amalia, je ne tente pas de vous faire peur (pourquoi le ferais-je ?), mais seulement de vous prévenir de la nature de ce que vous approchez en étant attirée par le théâtre. Par sa capacité à cerner l'incernable, le confus, le complexe. Je pense en réalité que vous le savez, tout cela, obscurément, mais vous ne vous l'êtes pas encore dit. Vous n'êtes pas choquée, dites-moi, que je vous débarrasse de vos illusions sur la nature humaine ? Et sur ma pauvre personne ?

Avec tant de tendresse,

Nicolas Pavlovitch

*

Dans sa folle jeunesse, Nicolas Gounilev avait mené ce qu'il était convenu d'appeler une vie dissolue. Envers et contre tout et tous, contre ces années d'errance, contre cette mère et cette sœur altières. Contre ce frère un peu fade, ce Micha longtemps et en secret méprisé par Nicolas pour avoir choisi un travail routinier qui lui apportait la sécurité tout en lui donnant l'illusion d'être son propre maître. Le « petit Kolia » avait, à 17 ans, rué dans les brancards policés de la Russie française à la mode Romanov, pour ne retenir de la Russie que son versant le plus sombre, le plus romantique et le plus destructeur. Un geyser noir surgi des profondeurs de son être, qui affluait d'un coup, disant son nom.

Pendant un temps, alors qu'il était encore à peine un homme, il s'était méthodiquement soûlé. Pas de ces griseries mondaines ni de ces grandes cuites d'un soir dont on se réveille avec la gueule de bois, les idées de travers et un vague sentiment de culpabilité. Non, la soûlerie organisée, profonde, sordide, abjecte, avilissante. De véritables marathons d'ivrognerie, de ceux que seuls les Russes connaissent de l'intérieur. Une affaire d'hommes, de hors-la-loi, hors-la-route. Un abrutissement concerté, bien au-delà du mur du son de l'ivresse. Des jours sans dessoûler, des errances sans rime ni but, des échouages dans des lieux improbables, hôtels borgnes, cabarets miteux, arrière-salles crasseuses, terrains vagues, garages désaffectés, gares sinistrées, villes inconnues. Et toujours, boire plus, boire encore quand le corps crie merci. Émerger des heures plus tard, vomir, se lubrifier les tuyaux avec une gorgée d'huile, n'importe laquelle, et recommencer à boire.

À en oublier comment il s'appelait, à ne pas se soucier d'où il se trouvait, ni même s'il allait survivre à tout cela. Le froid par-dessus, les chutes, les courses en voiture, les bagarres. Il l'avait fait pendant deux ans. Seul ou avec Gania, de deux ans son cadet, qui le suivait comme son ombre depuis l'arrivée à Paris. À 17 et 15 ans, ils avaient, en pleine nuit, forcé le rideau de fer branlant d'une épicerie de la porte d'Ivry pour voler de la vodka.

La princesse Pélagie dut aller chercher son vaurien de fils au commissariat et se rendit le lendemain avec lui au Palais de justice pour entendre la sentence. Elle se vida de ses larmes et, sitôt rentrée, se remit à tirer ses cartes avec une énergie accrue dans l'espoir d'apercevoir un semblant d'avenir à l'incorrigible Kolia qui, lui, avait déjà pris ses cliques et ses claques. Elle fut sans nouvelles pendant un mois et ne chercha pas à en avoir. Devant ses amies, elle décrétait qu'elle avait « coupé les ponts ». Mais le soir, devant sa coiffeuse, elle pleurait doucement et ses larmes étaient vraies. Il revint, tomba à genoux devant sa mère, battit sa coulpe avec désespoir. La princesse était satisfaite et crut même un instant qu'il allait reprendre ses études secondaires interrompues avant le baccalauréat. Pourtant, ce n'était pas un mauvais élève, loin s'en fallait. Ses professeurs disaient même de lui qu'il était « inspiré ». Au vrai, étudier lui plaisait, il était curieux de tout et aimait toutes les matières. Mais celle qui le passionnait plus que tout, c'était la littérature et, dans la littérature, la poésie et le théâtre. À 15 ans, il avait lu tout Tchekhov et tout Shakespeare. À 16, il avait monté dans son lycée *Le Baladin du monde occidental* de Synge, parce que le titre lui plaisait et lui semblait se rapporter à lui-même. À 17, il avait été ébloui par les Pitoëff.

À 18 ans, il écumait les innombrables petits théâtres et cabarets parisiens de la rive gauche, vivait d'expédients dans des chambres de passage, se soûlait toujours copieusement, partageait parfois la couche ou la vie d'une actrice plus âgée. Il fréquenta Maria Casarès qui s'éprit du jeune Russe à la chevelure d'ébène, vécut quelque temps avec elle dans un atelier pouilleux du XIVe arrondissement. Il mangeait de la vache enragée, mais n'avait de compte à rendre à personne, brûlait la vie par les deux bouts et était heureux ainsi.

Un soir qu'il avait bu plus encore que de coutume et s'était carrément écroulé dans le caniveau alors que dehors le froid était mordant, un homme le secoua rudement par l'épaule. Il sortit de sa torpeur en réalisant que l'homme s'était baissé pour le toucher de la main et ne s'était pas contenté, comme les autres passants, de lui décocher un coup de pied pour dégager le passage. Il ouvrit des yeux bouffis et larmoyants. L'homme s'était accroupi pour être à hauteur de sa tête, son regard était chaud. Il le regardait en secouant la tête. Kolia se sentit tellement misérable qu'il referma les yeux. « Allez, lève-toi ! » fit l'autre. Et le prenant d'une poigne énergique par le paletot, il le souleva littéralement et lui fit parcourir les quelques mètres qui le séparaient d'un porche. Une fois entré, l'homme le laissa tomber sur une chaise et disparut.

Kolia resta là un bon moment puis, les brumes de l'alcool commençant à se dissiper, il se redressa en se frottant vigoureusement les flancs pour faire partir les saletés qui y étaient accrochées.

C'était l'entrée d'un petit théâtre. Sur la devanture du guichet fermé, on pouvait lire :

CE SOIR, 20 HEURES, *HENRI IV*, DE PIRANDELLO (REPRISE),

PAR LA COMPAGNIE PITOËFF.

LE 21 : *ONCLE VANIA*, DE TCHEKHOV,

PAR LA COMPAGNIE PITOËFF.

Les Pitoëff. la compagnie qui avait donné *Hamlet* un an plus tôt, alors qu'il était encore au lycée. On était en 1927. Ce fut une rédemption. La rencontre avec Georges et Ludmilla Pitoëff fut pour Nicolas comme une révélation. Il vécut pour eux, par eux, par le théâtre. Georges et Ludmilla furent pour Nicolas comme les dieux de la mythologie sentimentale que chacun se forme somme toute à 18 ans et qui est sans doute la dernière année où nous avons le pouvoir de nous créer des dieux. Et ces dieux-là, il semblait à Nicolas non qu'il les découvrait, mais qu'il les retrouvait. Car ils étaient russes. De cette Russie rêvée puis haïe, dont il n'avait jamais eu le temps de se faire un passé. D'un coup, comme par surprise, et par la grâce d'une soûlerie en accord intime avec le déchirement de « l'âme russe », qui était aussi le sien, il renouait avec un passé dont il n'avait même pas souvenir. La Russie surgissait en lui à travers le théâtre. Il avait toujours pressenti qu'il faudrait cet écart inouï, cette mise à l'écart de son état d'émigré, de colon russe en terre française, pour retrouver la saveur, la chaleur, l'identité profonde qu'il devait à présent servir pour continuer à vivre.

Georges et Ludmilla Pitoëff lui apprirent l'humilité. Le surlendemain de ce sauvetage en mer, ils donnaient *Oncle Vania*, de Tchekhov. À la fin, lorsque l'héroïne, jouée par Ludmilla, murmura de la voix la plus pure qui ait jamais résonné dans un théâtre : « Nous nous reposerons… nous nous reposerons… », Nicolas pleura.

*

Malia à Nicolas Gounilev (carte postale, Albrecht Dürer, Vierge priant, *musée du Louvre)*

1er septembre 1957

Cher Nicolas,

Je viens de terminer les articles concernant Ionesco, dans La Nouvelle Revue Française *que vous m'aviez offerte. Et aussi ceux sur Brecht et Sartre. Je trouve que ce nouveau théâtre montre si bien les difficultés de la communication ! Nous venons nous-mêmes d'en vivre un épisode, ne pensez-vous pas ? Cher Nicolas, je suis si heureuse que j'ai envie encore et encore de prononcer votre prénom, c'est ridicule, n'est-ce pas ? C'est qu'il me semble que « Nicolas » est tout près et que « Monsieur Gounilev » est loin, très loin.*

*Je voudrais que vous me parliez encore des Pitoëff. Comme j'aurais aimé assister à cette représentation que vous m'avez décrite l'autre jour, d'*Oncle Vania, *celle où Sonia dit « Nous nous reposerons… » Oh, oui, il me semble qu'avec vous, je peux enfin me reposer.*

À mardi, à mardi, je vous embrasse de tout mon cœur, oui, je vous embrasse bien,

Amalia

*

Les Pitoëff avaient été ses maîtres et ses modèles. Par eux, Nicolas avait découvert Shaw et Giraudoux, Shakespeare et Ibsen. Et surtout, surtout, au cours de soirées fiévreuses, l'admirable théâtre russe.

Quand il racontait son théâtre, Malia le regardait avidement, elle buvait ses paroles, se baignait tout entière dans l'éclat de son regard. C'était ça qu'elle voulait, là qu'elle voulait être, dans ce scintillement qui était la vie même. Elle n'osait bouger, de peur qu'il ne s'arrête. Il ne s'arrêtait qu'un instant, passait la main dans ses cheveux de l'air de quelqu'un qui se réveille d'un songe, souriait :

– Je vous ennuie...

Elle secouait doucement la tête.

– Non, non. Au contraire. Je voudrais être avec vous, être là où vous êtes.

Elle disait :

– Je vous en prie... Racontez encore le théâtre.

Avec les Pitoëff, Nicolas avait découvert les rapports subtils entre la poésie, les mots, les gestes, l'art de la mise en scène et le génie de l'acteur. À 20 ans, il passait ses journées dans les salles de répétition, à écouter Georges ou Ludmilla parler d'une scène, la mimant, fouaillant l'âme et la chair du personnage pour le donner à voir aux jeunes acteurs, tout entier, se mettant à nu devant eux qui ne savaient rien. Il passait ses soirées et ses nuits dans la salle ou dans les coulisses, à écouter craquer le plateau sous les pas des acteurs, résonner les répliques qu'il connaissait par cœur et qui n'étaient jamais les mêmes, tenter de saisir cet éclair inouï, éphémère, qui unit deux acteurs en scène. Accroupi sur un morceau de décor, au milieu d'un tas de costumes, le jeune Nicolas s'enivrait de poussières et de fragments d'œuvres admirables.

*

Nicolas Gounilev à Malia

5 septembre 1957, 4h30 du soir

Chère, chère Malia

Oui, à présent, vous pouvez vous reposer sur moi. Je veux être tout ce qui vous a manqué, tout ce dont je voudrais que vous ne manquiez jamais : un ami, un grand frère, un père, un soutien, un confident. Je n'ai pas d'autre ambition que d'être ce soutien sans faille et de le rester, aussi longtemps que la Providence me prêtera vie. Nous avons toute la vie devant nous, Malia, malgré mon « grand âge ». Vous m'apportez tant de douceur et d'intelligence. Savez-vous qu'à la suite de notre conversation de l'autre jour, j'ai beaucoup réfléchi et que je m'achemine vers l'idée de revoir ma sœur. Cela se fera, oui, je ne sais pas quand, mais je lui tendrai la main, bientôt. Grâce à vous, avec vous, peut-être. Je vous laisse avec regret pour l'instant, devant courir au théâtre pour 6 heures, comme vous le savez. Mais je ne vous quitte que pour quelques heures et nous nous serons revus avant que vous ne lisiez cette lettre. Quelle joie!

Vôtre, plein de tendresse,

Nicolas

*

Au moment où la famille Gounilev était arrivée à Paris, l'aînée des filles, Varvara Pavlova, avait 19 ans. Elle était belle comme le jour et avait un sens inné de l'élégance comme sa mère. À Paris, ce fut elle qui la première secoua le joug familial et l'étreinte plaintive que la princesse maintenait sur ses enfants. Tout en fréquentant la bonne société russe, elle voulut connaître la française. Elle sortit beaucoup, fréquenta des Russes chez les Français et l'inverse. Elle parlait le français avec un délicieux accent qui tintait joliment dans sa bouche. Varvara était travailleuse et quand elle ne sortait pas le soir, elle restait près de sa mère à perfectionner ses points de croix et ses broderies, à confectionner des robes neuves avec d'anciennes, avec toujours une imagination qui émerveillait les amies de « la princesse ».

Peu à peu, elle eut des commandes des proches. Une robe de soirée, un châle brodé, un jupon, un caraco.

Lorsqu'elle tomba amoureuse de Constantin Souvarine, le mariage espéré ne put tout d'abord avoir lieu. Le jeune comte n'avait pas le sou, il travaillait dur, au service du prince Youssoupov, pour épargner les quelques bijoux de la famille que l'on mettait quand même en gage les uns après les autres avant de les vendre. Constantin et sa mère avaient fui *in extremis* en août 1918, un mois après le massacre de la famille impériale dont les Souvarine avaient été des proches, son père étant décédé, Dieu merci, de la tuberculose l'année précédant la révolution. Ils vivaient tous les deux dans une petite maison à Boulogne, non loin des Youssoupov chez lesquels la communauté des exilés russes se retrouvait régulièrement pour des fêtes d'une grande gaieté. C'est lors d'une de ces fêtes à laquelle Varvara brûlait de se rendre, alors que sa mère le lui interdisait si elle n'était pas accompagnée d'un de ses frères, qu'elle rencontra Constantin. Micha n'aurait pas mis les pieds dans une des réunions où il se sentait comme un déclassé, lui, le chauffeur de taxi. Nicolas avait 18 ans. Il accompagna sa sœur parce qu'il l'adorait, mais il se soûla affreusement, fit scandale et jura par la suite que sa vie ne serait pas celle de ce petit monde favorisé fermé sur lui-même, sa nostalgie et ses traditions.

Constantin et Varvara avaient pour eux la jeunesse, la beauté et la grâce de ceux qui, élevés dans une éducation, préparés à une certaine vie, ont compris très tôt que cette vie-là n'était pas toute droite et qu'un mariage était aussi une association d'énergies. Dans une petite dépendance de la maison de Boulogne, ils montèrent un atelier de couture. Tous deux, ils dessinaient des robes, dans ce goût exquis de l'élégance russe dont les Français s'étaient mis à raffoler. Varvara confectionnait, cousait. Comme elle était belle, élancée, d'une carnation parfaite, elle fit même le mannequin pour les photos de leur toute première collection. Les commandes rentrèrent, le succès arriva très vite. Deux ans plus tard, en février 1928, Constantin et Varvara Souvarine ouvraient leur « maison de couture », *Varva*, au 18, rue Alfred-de-Vigny, dans le XVIIe arrondissement.

Bientôt, la petite entreprise familiale attira de riches Américains, fascinés par « l'élégance russe ». En 1932, *Varva* fut transférée dans un bel appartement, au premier étage du 12, rue d'Alger, en face des Tuileries. On y recevait les clients dans un grand salon très joliment meublé. Quatre couturières travaillaient avec acharnement, et ils avaient engagé une chef de coupe pour la confection, Varvara ne s'occupant plus que de la création. Parfois, elle s'inspirait des collections des grandes maisons, Chanel,

Madeleine Vionnet, Poiret, qu'elle revisitait pour une clientèle moins riche, heureuse de trouver chez *Varva* de quoi paraître dignement sans se ruiner.

À la fin des années 1930, la maison de couture était devenue la coqueluche d'une certaine société raffinée mais pas nécessairement fortunée, ce qui donnait à *Varva* une identité particulière, non fermée sur le seul huis clos du cercle des très riches, mais ouverte et, en quelque sorte, démocratique. Si *Varva* restait un lieu de création unique de prêt-à-porter de luxe, s'y pressaient des femmes, russes ou françaises, qui n'auraient jamais imaginé porter de telles étoffes ni de telles coupes. Varvara avait eu cette idée géniale de proposer un système de crédit, voire d'échange de bons procédés. Ainsi la bourgeoise dont le mari, industriel, atteint de plein fouet par la crise, s'était vu supprimer son budget de toilettes, pouvait-elle, en échange de cours de français ou de mathématiques pour l'un des enfants Souvarine, s'offrir la robe de ses rêves.

Ces philanthropes avant l'heure n'avaient qu'un défaut : comme nombre de leurs compatriotes, ils n'appréciaient pas les israélites et ne s'en cachaient pas, au point de mettre une mauvaise volonté certaine à répondre à leurs commandes. Cela se savait dans le milieu russe où cela était pris pour un « trait » somme toute assez courant et considéré sans plus de formalité, puisqu'au fond la plus grande partie de leur clientèle ressentait cette « gêne », avec les israélites.

Pour Nicolas, cela fut, dès les premières manifestations, un sujet de discorde. Il aimait profondément sa sœur et s'entendait avec son beau-frère. Mais, à cette époque, il fréquentait déjà assidûment la troupe de théâtre de Georges et Ludmilla Pitoëff chez qui ce genre de préjugés ne pouvait avoir cours. Lui-même élevé dans cette sorte d'antisémitisme primaire qui n'était jamais réellement soumis à la question, ni envisagé dans aucune conversation sous l'angle ni de l'éthique ni de la raison – après tout sa mère avait toujours tenu ces mêmes propos devant lui sans même qu'il en rende compte –, Nicolas prit brutalement conscience, à travers l'activité mondaine de sa sœur, de l'antisémitisme de cette société des Russes en exil à laquelle il appartenait. En ces années de montée du nazisme, le sujet devint plus que jamais une épine brûlante dans ses relations avec sa famille.

Au milieu des années 1930, la troupe des Pitoëff comptait des membres de toutes origines : Français, Russes, Suisses, un Juif américain, une Anglaise, une Espagnole. Chacun avait son identité, chacun était lui-même, respectable pour ce qu'il était et respecté comme tel. Le respect était engendré par la passion commune et toute notion de nationalité, de religion ou de race était bannie. On montait ensemble Shakespeare ou Beckett, Shaw, Giraudoux, ou Tchekhov. Chacun était alternativement Hamlet, Ophélie, Antigone, Oncle Vania, Ivanov ou Macha. Il n'y avait ni orthodoxe, ni catholique, ni droite, ni gauche, ni juif, ni fasciste, ni communiste. Il y avait une bande de frères, « a band of brothers », comme le disait le Henri V de Shakespeare, qui vivaient ensemble et inventaient la vie tous les jours, avec générosité et enthousiasme. C'était dans cette vie que Nicolas était heureux, cette vie-là qu'il voulait.

En 1937, au moment où l'écho de la folie allemande parvenait en France par les journaux et la radio, clair pour qui voulait l'entendre, assourdi pour les autres, il prit ses distances, sans brutalité, sans éclat, mais avec une certaine tristesse, avec sa sœur et son beau-frère.

*

Angèle à Malia (carte prétimbrée)
3 septembre 1957

Merci, ma petite Malia, c'était gentil de venir me rendre visite avec Gisèle. Elle est bien élevée, mais ça c'était déjà et elle a un joli chapeau. Il faudra que tu m'emmènes à cette Belle Jardinière, *c'est comme ça que tu l'appelles ? Il faudra revenir plus souvent maintenant, mais je sais bien que tu as affaire. Gisèle elle peut revenir aussi. Bien des affections à vous deux. La prochaine fois, je ferai une tarte aux prunes, autrement les guêpes elles vont dessus. Et puis comme j'étais bien contente, figure-toi que j'ai fait mon ménage et j'ai retrouvé ton livre du docteur que tu l'as jamais repris. Je l'ai nettoyé parce qu'il y avait des pages qui collaient à cause qu'il y avait du café qui avait coulé dessus, je sais pas de quand par exemple. Bon, je te laisse avec bien des affections, ta maman.*

Gisèle à Malia (carte postale, le moulin de Fourges, Eure)

21 septembre 1957

Chère Malia, nous nous serons peut-être vues avant que tu ne reçoives cette carte mais j'avais envie de te faire partager les dernières caresses du soleil d'automne, puisque c'est aujourd'hui l'automne, depuis cet endroit si joli où Philippe m'a emmenée avec sa 4CV. Il conduit bien, je n'ai pas eu peur du tout, bien que nous ayons fait du 100 à l'heure ! Ici, c'est un vrai moulin, avec une roue en bois qui tourne dans la rivière. J'étais ravie de notre visite à ta mère l'autre jour et je pense qu'elle aussi. Je retournerai avec toi dans l'automne, je pense que c'est une bonne formule pour que vous vous revoyiez paisiblement. Nous revenons lundi matin. Sans doute à lundi soir, je t'embrasse, Gisèle.

Troisième partie

ANGÈLE

En septembre 1957, un « rappelé » français appartenant aux Jeunesses communistes refusa de partir faire la guerre en Algérie. Il fut jugé et emprisonné. L'affaire fit grand bruit. Il n'était pas le premier, mais la chose était encore suffisamment rare pour que l'opinion s'en émeuve.

Quelques semaines plus tard, c'étaient trois nouveaux « rappelés », sans étiquette politique précise, qui refusaient de partir et entamaient une grève de la faim en prison. Le 23 octobre 1957, un certain Cordero Goya, jeune Franco-Argentin étudiant en médecine à Paris, signait dans un quotidien engagé une tribune virulente contre un gouvernement de gauche qui envoyait au front sa jeunesse pour défendre les frontières de son empire. « Nous nous trompons d'époque ! écrivait-il. Avec la guerre perdue par Hitler, nous avons tourné le dos au temps des empires. » Un meeting de soutien aux grévistes de la faim fut organisé fin novembre à la salle de la Mutualité, à Paris. Le papier de Cordero Goya figurait sur le tract appelant au meeting et l'étudiant en médecine fut l'un de ceux qui y prirent la parole, en un discours brillant et vibrant à l'encontre des autorités militaires françaises. Interpellé le lendemain même, il était placé en garde à vue, interrogé et menacé d'expulsion. Par chance, le jeune Cordero Goya se trouvait être un lointain neveu de l'ambassadeur argentin et l'un des éléments les plus prometteurs de sa promotion en médecine. On lui signifia de se tenir tranquille, ce qu'il promit et ne fit pas.

Ce soir de novembre, Malia était à la Mutualité. Elle fut subjuguée. C'était la première fois qu'elle entendait parler politique par quelqu'un qui ne se réclamait d'aucun parti, d'aucune autre appartenance que des convictions frappées à l'aune d'une éthique personnelle. Ce qui la fascina dans le jeune homme, c'était sa liberté. Ses camarades de la cellule communiste lui avaient toujours semblé parler un langage convenu, comme un vêtement de prêt-à-porter, fait industriellement, conçu à des milliers d'exemplaires pour un individu formaté. Nicolas aussi parlait politique, mais elle ne le sentait pas tout à fait libre de ses opinions. Derrière la lucidité de sa pensée subsistaient l'ombre portée de ses origines, certains clichés de sa classe, une sorte de pesanteur lointaine qu'il lui semblait déceler parfois. Il y avait toujours, en toile de fond, son histoire individuelle qui faussait peut-être sa vision des choses. Lorsqu'ils parlaient politique, elle sentait qu'à travers la bouche de Nicolas s'exprimait toute une famille, toute une fraction de cette société d'exilés. Et dans la sienne, elle le sentait aussi, il y avait son père, sa mère, tout un petit peuple qui ne savait précisément pas s'exprimer et dont elle tentait inconsciemment de se faire la porte-parole. En écoutant l'orateur argentin, elle fut traversée par tout cela et aussi par quelque chose d'énergique, de nouveau, de simple et de frais comme une sève printanière. La politique, ce pouvait donc être cela.

Ce soir-là, en quittant la Mutualité, elle pensa confusément qu'entre les agitations enfumées des réunions de cellule, les certitudes bornées de ses parents et les convictions rageuses de Nicolas, il existait peut-être un autre sens pour l'engagement. Un sens qui aurait concilié la pensée individuelle et la cause commune, la liberté de penser par soi-même et la générosité de partager.

Elle marcha rêveusement le long des quais et fit une longue halte sur le pont des Arts, grilla une cigarette en regardant briller la Seine, avant de regagner la rue Guisarde.

*

Angèle à Malia (page quadrillée du carnet de comptes)

15 septembre 1957

Ma chère fille,

Alors figure-toi qu'au final j'y ai lu dans le livre du docteur, là où t'avais souligné. Parce que je voulais savoir pour ton père, comme je te l'ai dit, si c'était pour ça qu'il avait attrapé son cancer, à cause qu'il voulait te le dire qu'il était pas ton père et qu'il te l'a pas dit. J'ai pas tout compris, mais c'est sûr que ça y est pas dans le livre. Tout ça c'est des histoires pour faire peur au petit monde. Il m'a fatiguée ce livre. Je voudrais bien que tu l'emportes pour de bon, parce que autrement je vais le brûler dans la cuisinière. J'en veux plus, je veux plus qu'il reste dans la maison. La chienne non plus, d'ailleurs, ils me fatiguent aussi, les animaux. Quand c'est que tu reviens ? Tu pourrais venir avec Gisèle, Des affections, de

ta mère

Angèle à Malia (mot écrit au dos d'une liste de courses)

20 septembre 1957

Dis donc, tu pourrais pas la prendre, la chienne ? Elle est propre, elle fait dans le plat du chat, il y a qu'à la sortir qu'une fois le soir, ça te ferait une compagnie, j'ai pensé. Parce que moi, c'est trop, les chiens, surtout que je dors plus. La chèvre, je la laisse au pré, je m'en occupe plus. Réponds vite pour la chienne. Ta mère

Malia à Angèle,

24 septembre1957

Maman, c'est impossible d'avoir la chienne rue Guisarde. Nous ne pouvons pas la sortir tous les soirs, nous ne sommes jamais là pendant la journée, rarement pendant les vacances. Elle serait affreusement malheureuse, ici. Quelle drôle d'idée tu as! C'est à toi qu'elle fait de la compagnie, non? Et puis s'il te plaît, ferme ce livre, mets-le de côté et fais-moi penser à le reprendre. Je me demande pourquoi tu te montes la tête comme ça! Quand je t'en ai parlé, c'était seulement pour dire qu'il valait mieux ne pas garder pour soi des secrets. Mais chacun fait ce qu'il veut. Allez, maman, cesse de t'inquiéter à tout propos! Je viendrai dès que je le pourrai, très vite. Je t'embrasse bien fort,

Malia

Angèle à Malia (carte postale en couleur: les amoureux de Peynet)

25 septembre 1957

Je te fais cette carte parce que j'ai de l'inquiétude. J'ai le cœur qui bat trop vite, viens s'il te plaît. Est-ce que tu peux venir vite, c'est pour ça que je vais à la poste, j'attends pas au facteur. Il faut que tu viennes à cause de mon cœur. Je t'embrasse, ta mère

(Rajouté au bas de la carte) C'était dimanche, c'était fermé la poste, c'est pour ça que j'y suis retournée aujourd'hui.

Angèle à Malia (page déchirée dans le carnet de courses)

27 septembre 1957

Les chiens ils me portent sur le système. La chienne, elle fait ses crottes sur le paillasson, maintenant, exprès pour me causer du dérangement. Ça va finir par une dégelée, à la chienne. Je t'aurais prévenue. Allez, je vais à la poste, la Fourniol, elle me met mes lettres sur le dessus du tas, je passe avant les autres. Surtout pense à mon cœur qu'est bien faible, ta mère

Malia à Angèle (carte postale)

29 septembre 1957

Maman, j'ai téléphoné au docteur Frot, il m'a complètement tranquillisée à propos de ton cœur, tu n'as pas de problème cardiaque, il a dit « seulement un peu d'anxiété». J'ai appelé aussi chez Compans, on m'a rassurée sur ta santé, il paraît que tu gambades comme un cabri. L'anxiété, ce n'est pas une maladie grave, prends bien les cachets que le docteur t'a donnés pour ça. Et sois gentille avec les chiens jusqu'à ce que nous ayons trouvé une solution. Je demande autour de moi, cela peut prendre un certain temps. Sois bien sage, ma petite maman, mille baisers jusqu'à dimanche,

Malia

Bernadette Fournlol à Malia Lepore,

21 octobre 1957

Chère Mademoiselle Malia,

Je me permets de vous écrire, voyant votre maman régulièrement au bureau de poste, pour vous dire que celle-ci nous cause de l'inquiétude. Avec mon mari, nous trouvons que son état s'est bien aggravé depuis quelque temps. Avant-hier elle est venue porter sa lettre le dimanche, comme j'avais fermé le bureau de poste, elle a tambouriné à ma porte, je lui ai dit par la fenêtre que ça ne servait à rien puisqu'il n'y avait pas de levée, elle m'a insultée. Et puis elle vient faire ses commissions à l'heure où l'épicerie est fermée et elle crie après Monsieur Compans qui la dépanne bien souvent, comme vous savez. Pardon de vous dire cela, ce n'est pas pour moi, mais ça ne lui ressemble pas, elle a toujours été une personne aimable. Peut-être devrez-vous la faire voir au docteur Frot ? Excusez-moi d'avoir l'air de me mêler, mais c'est que nous vous aimons bien, tout le monde, ici, et que nous voyons bien que quelque chose ne va pas depuis le décès de votre papa. Comme vous êtes en ville, maintenant, j'ai pensé qu'il était de mon devoir de vous informer.

Très respectueusement à vous, chère Mademoiselle Malia, et restant à votre disposition,

Bernadette Fourniol

Chef du Bureau de poste de Bures-sur-Yvette

PS : Votre maman nous a également dit que ses deux chiens avaient été empoisonnés par un maraudeur. Au cas où vous ne sauriez pas.

De Malia à Nina (mot laissé sur la console de l'entrée)

22 octobre 1957

Chère Nina, les enfants ont pris leur bain et dîné, ils ont mangé du vermicelle, des œufs à la coque et une crème Montblanc. Aude a fait ses devoirs. Je file à la gare du Luxembourg. Mme Irma reste jusqu'à votre retour. Comme je vous l'ai dit, ma mère ne va pas bien du tout. Je vous montrerai la lettre de la postière. Elle vient de tuer ses chiens. Le docteur lui a donné des calmants, mais j'ai peur que cela ne suffise pas. À jeudi, Malia.

*

Dans les derniers jours de l'année 1957, Gisèle et Philippe rentrèrent un soir avec une bouteille de vin blanc, un jambonneau, une baguette et un condisciple de Philippe, un peu plus âgé que lui puisqu'il terminait sa médecine, avec qui il s'était fraîchement lié d'amitié. C'était un grand Sud-Américain, qui était venu étudier la chirurgie cardiaque en France avec le professeur Dhallaines, alors pionnier de la chirurgie des « enfants bleus ». Au demeurant cultivé, ouvert à tout, passionné par la chose sociale et la politique, particulièrement celle de l'Europe. Comme il l'expliqua d'emblée, il y avait quelque raison pour cela : sa mère, argentine, s'était éprise, au début des années 1930, d'un marin basque qui s'était fixé pour elle à Buenos Aires, mais n'avait pas hésité une seconde à rallier de Gaulle à Londres dès 1940. Le père de Placido avait fait partie du célèbre « commando Kieffer », cette poignée de Français ayant participé au D-Day. Comme la majorité de ses camarades, Gabi Goya était mort sur la plage d'Utah Beach, le 6 juin 1944. Placido avait été élevé dans le culte de ce père héroïque et de la France résistante.

La conversation tourna inévitablement aux grands sujets politiques de l'actualité : la Hongrie et l'Algérie. Il parlait parfaitement le français, à peine si l'on percevait le léger chuintement de ses « r » dans lequel on retrouvait le glissando particulier à l'espagnol parlé par les Sud-Américains. C'est alors seulement que Malia le reconnut. C'était l'Argentin de la Mutualité. Au meeting, elle était loin, il y avait beaucoup de fumée, elle l'avait entraperçu. Mais elle reconnaissait l'accent, le timbre grave, les intonations colorées. « Il fallait entrer, disait-il, dans une ère de décolonisation, les gouvernants d'aujourd'hui doivent écouter la voix des peuples. Dien Bien Phu a sonné le glas de la France coloniale. Le soulèvement algérien est un nouveau soubresaut de cette agonie. » Les autres l'écoutaient, convaincus et silencieux, il avait des mots qu'aucun d'entre eux ne possédait, mais auxquels ils adhéraient pourtant avec évidence. Placido parlait vite, mais clairement, et allumait l'une après l'autre des Camel sans filtre. Les décolonisations concernaient aussi l'Amérique latine, le continent indien. Elles devaient être la marque de l'après-guerre, son signe historique distinctif. On ne pouvait aller contre le sens de l'histoire. Malia buvait ses paroles. Elle pensa un instant à Nicolas, comme à chaque fois qu'elle se sentait bien. Elle aurait aimé qu'il soit là, qu'il entende Placido. Nicolas, si cultivé, aurait été un bon interlocuteur, cela aurait fait une conversation passionnante. Au lieu qu'eux trois, Gisèle, Philippe, elle-même, se contentaient de hocher la tête en émettant des sons approbatifs. L'Argentin parla de sa famille maternelle, des Indiens quechuas qui vivaient sur les hauts plateaux du nord-ouest, qu'il connaissait à peine. Sa grand-mère indienne s'était mariée avec un chauffeur de camion qui l'avait emmenée « en bas », dans les faubourgs de Buenos Aires, vivre dans des baraques en tôle entre les flaques de mazout et les tas d'immondices. Elle avait enfanté la tribu de gosses qu'enfantent tous les pauvres de tous les faubourgs du monde. La plus jeune des filles, Consuelo, la mère de Placido, était la première femme de cette branche quechua à avoir échappé à sa condition d'Indienne matinée de prolétaire, en faisant des études d'infirmière, puis en épousant un marin français. Dans la branche du chauffeur de camion, il y avait aussi eu un mariage d'amour improbable, avec une fille de la haute société qui avait engendré un futur diplomate. C'était là l'ambassadeur qui avait sauvé la mise au jeune Placido lors de ses débordements publics, en septembre, à la Mutualité.

Placido parla de l'Argentine, des paysages, de ces hauts plateaux andins où vivait encore sa lointaine famille quechua. Il n'y était allé qu'une seule fois, avec sa mère, mais en gardait un souvenir ébloui.

– Nous venions d'apprendre la mort de mon père, par l'ambassade. J'avais 14 ans, il était parti lorsque j'en avais 9, j'étais triste, mais sans plus. Ma mère a voulu que nous nous rendions dans le berceau de sa famille où vivait encore sa grand-mère. Ce qui frappe, chez les Indiens quechuas, c'est la joie de vivre. Les rires qui fusent de partout. La vie est ainsi, pauvre et démunie, mais on n'en attend pas de meilleure, donc elle est bonne. Ils n'avaient pas entendu parler de la guerre. Ils ne parlaient pas l'espagnol. J'étais allongé sur la terre battue, la tête sur un ballot de tissus qui sentait la fumée, j'écoutais chanter ma grand-mère et je voyais scintiller les étoiles.

Malia se prit à rêver, portée par la voix profonde.

Philippe et Placido partirent vers les neuf heures, Malia et Gisèle parlèrent ensuite longuement autour d'une infusion de tilleul. Pour Malia, tout était nouveau : qu'on puisse être aussi poète alors qu'on étudiait la médecine, qu'on puisse s'intéresser à la politique sans appartenir à un parti. Gisèle était d'accord, elle avait d'ailleurs déjà rencontré Placido avec Philippe et l'appréciait, mais elle voulait surtout arriver à l'heure pour la dernière séance du film de Vadim dont tout le monde parlait, *Et Dieu créa la femme*, avec Brigitte Bardot.

*

Angèle à Malia

18 novembre 1957

Ma petite fille,

Pour les maladies, tu m'as dit de pas m'inquiéter mais moi, si ça se trouve j'ai attrapé la même saloperie comme ton père et même le docteur il avait pas compris pour lui. Alors si tu trouves quelque chose dans ton livre que je t'ai rendu tu n'as qu'à me le dire quand même. C'est juste ça. Senati est décédé la semaine passée, tant mieux pour lui, sa vieille chouette elle pleure chaque fois qu'elle croise quelqu'un, mais elle est bien débarrassée, tout le monde le sait, alors c'est pas la peine de faire des manières. J'ai plus personne pour me faire le bois, il paraît que le fils au garagiste, il le fait, ça dépend combien il prend.

Des bises de

Ta vieille mère

Angèle à Malia (carte postale)

21 décembre 1957

Le Jean-Claude, il veut bien me faire le bois gratis, pour le poêle à ton père. C'est par gentillesse. Il a demandé tes nouvelles. Est-ce que tu pourras m'apporter des chouquettes, je peux plus rien manger, j'ai plus l'appétit. Des fois, j'ai envie de me pendre. J'ai plus le goût à rien.

Ta mère

*

Malia passa à Bures avec sa mère la veillée du jeudi 24 et le vendredi de Noël 1957. Elle n'avait pas dormi chez sa mère depuis plusieurs mois et elle prit la mesure de l'état dans lequel celle-ci se laissait doucement couler. Quand elle se réveilla le matin, Angèle n'était pas levée, contrairement à son habitude. Il était plus de 9 heures. Malia entrouvrit la porte de la chambre. Angèle dormait profondément, couchée sur le dos, tout habillée sur son lit. Elle ronflait bruyamment et Malia comprit qu'elle n'avait pas enlevé son dentier.

Ce matin de Noël, Malia lava sa mère et lui sortit des vêtements propres. Angèle se laissait faire comme une poupée de son, toute molle. Tandis que sa fille lui passait un gant mouillé dans le dos, elle disait doucement : « c'est que je ne dors plus, vois-tu, je ne dors plus du tout, je fais que voir mes visions. » Malia lui fit un café bien fort comme elle aimait. Elle tourna le bouton de la radio, Dario Moreno chantait « Si tu vas à Rio », Angèle sourit, Malia s'assit à côté d'elle, peu à peu elle sembla sortir de sa torpeur. Comme elle se sentait en petite forme et que rien n'était prêt pour le repas, Malia proposa de s'en occuper, c'était une première, elle n'avait jamais cuisiné chez sa mère. Elles fêtèrent ce premier Noël sans Matteo autour d'une bûche achetée par Malia chez le boulanger du village.

Au fil de la journée, Angèle retrouva une sorte de vitalité. Pendant le déjeuner, elle devint même excessivement volubile. Elle voulait absolument faire un « petit Noël, avec Gisèle, à la rue Guisarde ». La bûche fut coupée et Malia reçut en cadeau une enveloppe contenant 30 francs pour s'acheter un livre et, dans un sac en papier, un châle de laine un peu triste, un peu troué aux mites, mais qui avait appartenu à la mère d'Angèle, la fameuse Dédée, et qu'il fallut bien recevoir avec le sourire et les effusions d'usage. Malia, de son côté, offrit à sa mère une bouillotte en peluche synthétique et des bergamotes de Nancy. Au café, Angèle revint sur le « petit Noël à la rue Guisarde », elle y tenait car elle avait un cadeau pour Gisèle. Malia promit de s'en occuper.

Il n'était pas vraiment question, vu son état, d'opposer un refus catégorique à ce petit caprice qui, néanmoins, mettait Malia mal à l'aise. Consultée, Gisèle ne s'y opposa pas, bien sûr, et s'employa à ce que ce goûter du 29 décembre fût une fête.

Elle confectionna elle-même une tarte aux pommes et prépara un chocolat chaud qui furent appréciés et abondamment commentés. Arriva le moment du cadeau. Malia retenait son souffle tandis que sa mère ouvrait religieusement une boîte en carton oblongue qu'elle avait posée sur une chaise à son arrivée. Elle en sortit ce qui sembla d'abord être un coupon de tissu ou un rideau et s'avéra finalement être une robe mauve. Angèle tendit solennellement le vêtement à Gisèle, puis la serra dans ses bras avec une sorte de frénésie. Avec un tremblement dans la voix, elle dit qu'elle avait mis cette robe pendant sa grossesse de Malia et que cette robe lui avait porté chance. La «chance» se ratatinait sur sa chaise, tandis que sa mère poursuivait un discours survolté :

– Ma petite Gisèle, c'est pour que ça te porte chance aussi, et parce que tu es bonne pour Malia et c'est tout ce qui compte dans ma vie qu'on soit bon pour Malia.

Malia était effondrée, n'osait regarder Gisèle qui faisait comme si de rien n'était, remerciait chaleureusement et proposait une autre tasse de chocolat. Angèle déclina, se leva pour prendre congé, claqua quatre bises sonores à Gisèle et prit congé en ajoutant :

– Si c'est juste, je peux t'y arranger les coutures, t'auras qu'à le dire à Malia.

Malia la raccompagna jusqu'à la gare du Luxembourg, Angèle caquetant toute seule dans la rue, d'une voix très perchée, en grande forme. Malia ne fut pas trop inquiète en la mettant dans son wagon. Angèle était dans un de ses états d'acuité pratique où elle ne perdait pas le nord, elle descendrait à la bonne station et rentrerait sans encombre chez elle. Mais en retournant rue Guisarde, le poids du monde était sur ses épaules.

Le 1er janvier, Angèle tenta de se pendre. Elle prit cependant garde de le faire en fin de matinée, tandis que le jeune Jean-Claude fendait le bois dehors. Quand il frappa au carreau de la cuisine pour dire qu'il avait fini, il aperçut Angèle la corde au cou tentant d'en arrimer l'autre extrémité au montant supérieur de la rambarde d'escalier. Il se précipita, la pauvrette pleurait, n'avait pas du tout envie de mourir, la morve lui coulait au nez. Le nœud était suffisamment mal fait pour ne pas risquer de l'étouffer, mais laissa quand même une large saignée rouge entre la base du cou et l'oreille droite et le docteur, dérangé en urgence un 1er janvier, au lendemain d'un réveillon arrosé, sermonna sévèrement Angèle sur sa « bêtise », sans prendre la mesure du grand dérangement qui peu à peu obstruait sa raison. Les doses de calmants furent néanmoins notablement augmentées.

*

Angèle à Malia

14 janvier 1958

Ça va mieux à cause des médicaments. Mais ce professeur de théâtre, je te signale qu'il a 20 ans de plus que toi, et théâtre c'est pas une situation. Surtout que les vieux sont portés sur la chose. On a l'honneur de la famille quand même et pense à ton pauvre père. Et pense aussi à moi, surtout que je dors toujours pas du fait de mes visions, mais j'irai pas voir ce docteur pour la tête qu'elle t'a donné ta patronne, parce que là, ça va, j'ai plus les idées noires et si je souffre, c'est du cœur, comme tu sais.

Affections de

Ta mère

Gisèle à Malia (mot sur la table de la cuisine)

19 janvier 1958

Malia, ma chérie, est-ce que tu as pris rendez-vous avec ce médecin dont Nina t'a donné l'adresse ? J'ai vu ta pauvre maman tout à l'heure, elle est venue jusqu'ici pour me donner la robe retouchée. Ne m'avais-tu pas dit qu'elle venait jeudi? Je pense qu'elle s'est trompée de jour. Elle était bien sûr déçue de ne pas te voir. Je ne l'ai pas trouvée bien du tout. Elle m'a paru anxieuse, épuisée, presque délirante. Veux-tu que j'essaie de mon côté d'obtenir l'adresse d'un bon médecin ? Par Philippe, c'est facile et nous allons ce soir écouter du jazz au Caveau de la Huchette. Laisse-moi un mot si je ne te vois pas... Et si tu es libre, voudrais-tu venir avec nous ?

À ce soir,

Gisèle

Malia (mot sur la table de la cuisine)

20 janvier 1958

Gisèle, on se croise, en ce moment, j'ai passé la nuit à Bures et suis allée directement à mes cours ce matin. Bien sûr, elle s'est trompée de jour... Elle était toute confuse, elle te propose de revenir vendredi même heure. Je ne serai pas là. Mais toi ? Je rentre à 6 heures. La postière lui transmet les messages téléphoniques, c'est facile de la prévenir. Nina a pris rendez-vous avec un médecin psychiatre pour elle, une doctoresse, paraît-il, très bien. Mais le premier rendez-vous est fin février. Je suis bien contente des beaux rôles qui te sont proposés à l'École : Phèdre *et peut-être un rôle comique dans Labiche ? Quel joli grand écart ! Je t'embrasse, à ce soir, Malia*

Malia à Nicolas Gounilev (carte postale, Héliodore chassé du Temple par les Anges, *Delacroix, église Saint-Sulpice, Paris)*

15 février 1958

Cher Nicolas,

Est-il vrai que les Pitoëff ont mis bout à bout les textes authentiques du procès de Jeanne d'Arc et en ont fait une pièce admirable ? C'est ce que m'ont dit des amis du théâtre. J'aimerais tellement que vous m'en parliez. Je suis une passionnée de Jeanne d'Arc, depuis que je suis toute petite, je ne vous l'ai jamais dit ? J'ai lu tout ce qui se pouvait sur Jeanne. Cette pièce se donne-t-elle encore ? La prochaine fois que nous nous verrons (après la répétition de samedi ?), vous m'en parlerez, n'est-ce pas ? À part ça, les nouvelles ne sont pas bien bonnes au sujet de ma mère, son état mental empire. Une voisine l'a trouvée l'autre jour dans la rue en robe de chambre, complètement perdue, disant que quelqu'un avait emporté sa petite fille… Je l'accompagne à la fin du mois chez ce médecin qu'elle a finalement accepté de voir (adresse procurée par ma patronne). Je suis contente de voir enfin un spécialiste et, je l'avoue, un peu anxieuse du diagnostic.

Je vous envoie toutes mes pensées,

Malia

Nicolas Gounilev à Malia (carte postale, Jeanne d'Arc au sacre du roi Charles VII dans la cathédrale de Reims, *Ingres, Musée du Louvre)*

24 février 1958

Ma petite Jeanne d'Arc, ma très chère héroïne, je crois me rappeler que vous devez voir ce médecin pour votre maman lundi ou mardi. Voulez-vous prendre un chocolat chaud jeudi à 18 heures au café Le Royal, *au coin de la rue de Rennes et du boulevard Saint-Germain, mercredi avant votre cours de russe? Nous pourrons parler de votre rendez-vous de la veille.* Le Royal *est un café sympathique qui se trouve à mi-chemin entre votre appartement et les Langues orientales, Si besoin, n'hésitez pas à laisser un message téléphonique à ma bonne logeuse au numéro que vous savez. Dites simplement «oui». Je vous espère,*

Votre, dévoué,

Nicolas A.

Malia à Nicolas Gounilev (carte postale, Église Saint-Sulpice, la façade, Paris)

25 février 1958

Oui, cher Nicolas, mille fois oui, et pas par téléphone à votre logeuse! Oui, cela est une bonne perspective que de pouvoir vous parler de notre rendez-vous chez le médecin la veille, j'imagine que j'en aurai besoin. Je vous retrouverai donc bien volontiers jeudi au Royal, *comme vous me le proposez. Et par ce froid, le chocolat chaud sera bienvenu.*

Avec reconnaissance,

Malia

*

Cette fin d'après-midi, au *Royal,* Nicolas était soucieux, un sillon crispé barrait horizontalement son large front. Il venait d'apprendre que l'atelier d'accessoires qui était censé commencer les essayages à la fin du mois et livrer les costumes en mai ne pourrait pas honorer ses engagements. La branche textile avait été en grève tout le mois de janvier et les usines n'avaient pas pu livrer. Toutes les commandes avaient pris du retard. Et les ateliers refusaient de faire des heures supplémentaires aux tarifs en vigueur. Ceux demandés étaient prohibitifs. En tout état de cause, ils ruinaient la possibilité de monter la pièce aux conditions financières prévues.

Nicolas rongeait son frein en pestant contre « les syndicalistes français qui empêchent les gens de travailler ».

Dehors, le ciel était bleu et un vif soleil d'hiver éblouissait par instants, en se réfléchissant sur la tôle des voitures qui passaient devant la vitrine. Brusquement, il se leva et mit son manteau.

– Allons nous promener, il fait trop chaud ici !

Ils marchèrent dans le Luxembourg. Des groupes d'hommes jouaient aux boules et aux échecs. Des enfants étaient juchés sur des ânes, fiers et un peu inquiets. Nicolas parlait tout seul.

– La pièce se fera en costumes ou il n'y aura pas de pièce… Eh bien, il n'y aura pas de pièce ! C'est ça, pas de pièce… Terminé… Tchekhov, au panier !

Il donna un coup de pied dans une corbeille en fonte, se fit mal au pied, enfonça ses poings dans son duffel-coat et accéléra le pas en maugréant. Malia ne l'avait jamais vu ainsi, ne savait quelle contenance adopter, accablée tout à coup par la perspective de voir le merveilleux rêve s'effondrer. Et puis tout à coup une idée absurde se fit jour :

– Nicolas… Vous parliez il y a quelque temps de revoir votre sœur, n'est-ce pas l'occasion ? Elle a cette maison de couture, certainement la possibilité de nous aider…Vous pourriez renouer… Vous m'avez parlé d'elle… Vous…Vous l'aimiez beaucoup, elle aura changé, vous aussi, les querelles doivent s'oublier, en famille… Moi-même…

Elle ne continua pas, elle eut brusquement conscience que cette intervention était ridicule ou déplacée. Mais Nicolas s'était arrêté et la regardait :

– Vous-même…?

Il souriait en la regardant et elle s'enhardit.

– Oui… Ma mère, il y a toutes les raisons pour que je lui en veuille… Enfin, ce n'est pas pareil, elle est malade. Mais votre sœur… Sa maison de couture est florissante. J'ai vu une réclame pour Varva dans *Modes et Travaux*… Pourquoi ne lui demandez-vous pas ?

Elle s'arrêta à nouveau, rougissante, craignant d'avoir dit une énormité. Elle eut l'impression que Nicolas la regardait fixement, intensément, avant de réaliser qu'il regardait un point imaginaire, à l'intérieur de lui-même. Puis tout à coup, il fit une étrange moue avec la bouche, une moue comme pour dire « Après tout, pourquoi pas ? » et il lui prit la main. Il parut réfléchir un long moment. Puis, comme pour lui-même :

– Pourquoi pas… Oui, pourquoi pas ?

Varvara Pavlova accueillit son frère avec effusion. Lors de ce premier rendez-vous, elle le serra dans ses bras et pleura « à la russe », comme le dit Nicolas à Malia un peu plus tard. Malia était affreusement intimidée, peu habituée aux démonstrations d'affection. Elle restait en retrait, regardant ce frère et cette sœur adultes se livrer à des transports auxquels elle ne s'attendait pas. Au vrai, la suggestion lancée la semaine passée lui était apparue après coup fantaisiste et entachée d'opportunisme. Pourquoi Nicolas renouerait-il avec cette sœur avec laquelle il s'était brouillé, semblait-il pour de « bonnes » raisons, principalement l'antisémitisme, le genre de raisons sur lesquelles on ne revient pas sinon pour des motifs bassement intéressés ? Après coup, cela l'avait bien embarrassée et Malia avait abordé ce rendez-vous à reculons.

Ils se retrouvèrent tous les trois assis dans de profonds fauteuils garnis de coussins, le thé servi par une bonne en tablier et Malia se rappelait avec une sorte de gêne que sa mère autrefois portait le même tablier blanc à festons quand il y avait des invités chez Madame Édith. Nicolas et Varvara parlaient à bâtons rompus, glissant insensiblement dans le russe lorsque la conversation s'animait, s'excusant auprès de Malia, reprenant le français puis retombant dans le russe. Malia, ne participant pas vraiment à la conversation, prenait le temps de regarder ce qui était autour d'elle, s'étonnait du luxe vieillot qui entourait cette femme élégante, se demandait quelle impression elle, Malia, lui faisait. Nicolas l'avait présentée comme « une de ses élèves, Amalia est Macha ». Elle cherchait à voir sur le visage de Varvara si elle subodorait qu'elle était « un peu plus » que Macha. D'ailleurs, l'était-elle, « un peu plus » ? Ou bien, au fond, suffisait-il que Nicolas ait trouvé « sa »

Macha pour l'aimer ainsi, parce qu'elle l'était ? On parla des costumes, Nicolas expliqua ce qui avait été envisagé avec l'Atelier Apfelbaum, prenant un malin plaisir à épeler le nom tout en regardant sa sœur. Varvara Pavlova ne broncha pas. Elle se contenta de noter des indications sur un calepin tandis qu'il parlait. Date fut prise pour la séance de mesures des comédiens et l'on se quitta chaleureusement.

En sortant, Nicolas paraissait enchanté. Rue de Rivoli, il sifflotait l'air du *Pont de la rivière Kwaï*. Ils traversèrent la cour Carrée du Louvre et gagnèrent la rive gauche par la passerelle des Arts.

*

Angèle à Malia (page déchirée du carnet de courses)

26 février 1958

J'ai eu ton message chez Compans, que tu viens le 1er et je suis bien contente. J'en profite pour te dire que tu dois arrêter ce théâtre. Le type, il en veut qu'à une chose, c'est un vieux saligaud. Il faut que t'arrêtes tout. Moi aussi, je veux arrêter tout. Je veux bien aller à la clinique qu'a dit la doctoresse, c'est cassé dans ma tête, des fois j'ai encore envie d'arrêter tout encore. La mégère à Senati, elle m'a traitée de folle, à cause de mes visions que tout le monde sait. Au 1er, ma petite, viens vite,

Ta maman

Malia à Nina

1er mars 1958, le soir,

Chère Nina,

Merci encore d'avoir rendu possible ce rendez-vous avec le Dr Gamblin. Ma mère semble rassurée à l'idée d'être traitée médicalement. J'ai eu aujourd'hui pour la première fois une conversation avec elle. Elle a fini par admettre que quelque chose s'était « cassé dans sa tête ». Elle m'a parlé presque normalement de ses angoisses, ses pertes de mémoire, ses troubles d'équilibre, ses moments de désespoir. Et puis de « ses visions », comme elle appelle ce cauchemar qui la hante depuis des mois et dont elle ne veut rien dire. Elle convient elle-même qu'elle a des « crises ». J'ai si peur, parfois, qu'elle ne commette l'irréparable. J'espère que la clinique libérera vite un lit.

Je vous envoie toute mon amitié reconnaissante, à jeudi,

Malia

Malia à Nina (pneumatique)

9 mars 1958

Ma mère est hospitalisée. Elle a fait une crise violente en pleine rue. Les pompiers l'ont emmenée aux urgences. L'hôpital la garde ce soir, mais demain, je ne sais pas. Je ne veux pas qu'elle rentre chez elle. Pouvez-vous faire quelque chose pour qu'elle soit admise dans cette clinique très vite? Je ne me sens plus capable de m'occuper d'elle. Je vous téléphonerai à votre travail demain à 10 heures. Merci, merci

Malia

Malia à Nina

19 mars 1958

Chère Nina,

Je reviens de la clinique de Châtillon où tout s'est passé au mieux. Ma mère est très bien installée, dans une chambre à deux lits, mais pour l'instant elle est seule. Je l'ai laissée alors que le docteur Gamblin venait lui rendre une première visite. Je ne saurais assez vous remercier de tout ce que vous avez fait ces derniers temps pour nous. J'espère que vos vacances se déroulent au mieux à Compiègne et que les enfants goûtent la présence de leurs grands-parents. De mon côté, il faut que je me remette au travail, car les examens approchent et la pièce de théâtre aussi... À partir du 1er avril, nous serons en répétition pour Tchekhov trois soirs par semaine,

Avec toute mon affection, et des baisers aux enfants,

Malia

Malia à Gisèle (mot sur la table de la cuisine)

21 mars 1958, 3 heures

Gisèle, rejoins-moi dès que tu trouves ce mot, au 12 de la rue d'Alger, 2e étage. La sœur de Nicolas va nous montrer des modèles de robes pour la pièce. Je viens de l'apprendre, Nicolas a reçu un pneu, il est venu nous chercher rue Guisarde et je ne sais pas où tu es ! Un des rendez-vous de Varvara s'est décommandé, un essayage d'une dame, et elle peut nous recevoir de 4 heures à 6 heures. Nous partons maintenant, je n'irai pas à ma réunion de cellule ! De toute façon, j'en ai assez ... Viens vite !

Malia

18 avril 1958

Gisèle à Philippe

Mon bien-aimé, si tu me voyais tourner comme une princesse devant le miroir avec le costume que la sœur de Monsieur Gounilev a confectionné tout exprès pour Olga, c'est-à-dire moi ! Je crois que tu ne me reconnaîtrais pas, ou plutôt, tu retomberais amoureux, comme si tu ne m'avais encore jamais vue ! C'est magnifique, tout simplement.

À propos, c'est plutôt drôle, j'ai eu l'idée de demander à Varvara Pavlova s'il était possible de retoucher la robe que m'avait donnée cette pauvre Angèle à Noël dernier (tu sais, je t'en avais parlé). La coupe est vraiment affreuse, mais le tissu est somptueux, de la soie mauve, en parfait état. Malia n'y a pas vu d'objection et la princesse a donné la robe à ses retoucheuses. Ça sera d'un chic ! Varvara A. m'a dit qu'autrefois elle avait déjà fait une robe dans ce même tissu, qu'il se « tient » très bien. Ma robe à moi est en faille verte, très serrée à la taille avec une ceinture noire, celle de Malia sera donc en soie mauve, son teint mat ressortira à ravir et la princesse (t'ai-je dit que Varvara Pavlova Souvarine est une princesse et que Monsieur Gounilev était un prince, autrefois, quand ils étaient en Russie ?) lui a relevé les cheveux en chignon banane, à la BB, c'est d'un classe !

Il y a aussi un costume pour la servante Anfissa en serge gros grain, Armelle le portera avec un châle à franges, je crois qu'elle sera contente. Nous sommes revenues en taxi, figure-toi, avec Monsieur Gounilev qui nous a aidées à monter tous les costumes à la maison. Chacun devra venir chez nous prendre le sien et l'essayer. Varvara ne veut pas que cela traîne au studio. S'il y a des retouches, elle met à notre disposition l'une des couturières de la maison Varva. Tu te rends compte ! Finalement, ce n'est pas si difficile d'être princesse, il suffit d'être bien habillée... Mon tendre ami, je me fais une joie de notre sortie de samedi prochain, ce petit babillage sur papier m'évitera de t'ennuyer à l'entracte avec mes chiffonnades !

Ta Gisèle

Malia à Gisèle
25 avril 1957
Chère Gisèle,

Je suis retournée chez Varvara Pavlova, pour retoucher la robe. Et je suis bien troublée. Imagine-toi qu'elle s'est montrée distante et froide, alors qu'elle était si gentille l'autre jour ! À un moment, la couturière m'a piqué la taille, sans faire exprès bien sûr, j'ai poussé un petit cri, V.P. regardait par la fenêtre, elle a juste dit, sans se retourner « C'est bientôt fini, Yvonne ? » Ensuite, c'était comme si on ne s'était jamais vues. Tu te figures mon malaise ! C'est à n'y rien comprendre. Nicolas m'a toujours dit que sa sœur était un peu lunatique, mais il est tellement nerveux en ce moment, je ne lui en ai pas parlé, tu penses ! V.P. m'a fait tourner sur moi-même, toujours en s'adressant à Yvonne : « Ça ira comme ça ! », puis à moi : « Vous pouvez vous rhabiller. » Quand j'ai été sur le point de partir, j'étais déjà dans l'entrée, elle m'a questionné sur mes parents. J'ai juste dit que mon père était mort. « Ah », a-t-elle fait avec une drôle de moue, sans aucune sympathie. Elle a ouvert la porte : « Et votre mère… Est-elle vivante ? » Ça m'a tellement choquée, cette formule, que j'ai bégayé « Oui, oui, ça va bien, très bien, au revoir Madame », avant de me jeter dans l'escalier.

Je ne comprends pas l'attitude de cette femme. Peut-être me trouve-t-elle trop jeune pour son frère chéri. Trop jeune pour le rôle de Macha. Trop jeune pour monter sur une scène. Trop française pour jouer Tchekhov. Trop quelque chose ou pas assez. Je ne sais pas, moi ! Ou peut-être, mais ça, c'est une pensée que je déteste, peut-être a-t-elle connu « l'autre », cette actrice vieille avec laquelle il a eu une liaison, tout le monde le sait. Et peut-être la trouvait-elle mieux que moi. Oh, que cette idée me fait souffrir !

Enfin, j'aurai ma robe la semaine prochaine. Je crois qu'elle sera très belle. Mais, Gisèle, que penses-tu de tout cela ?

Je t'embrasse,

Malia

PS : Pas un mot de tout cela à Nicolas, cela va sans dire.

Varvara Pavlova à Nicolas

22 avril 1958

Mon cher frère,

Je ne te dirai jamais assez combien je suis heureuse de nos retrouvailles. C'est une bénédiction, non seulement pour toi et moi, mais pour notre chère mère et pour toute notre famille. L'exil est une maladie incurable dont seule l'unité familiale peut adoucir les tourments. Notre mère semble rajeunie de dix ans, sais-tu ? Elle a hâte de déposer un baiser sur la tête de son benjamin.

Mais je n'ai pas changé, vois-tu, je suis toujours aussi capricieuse et j'ai une autre requête : j'aimerais tant maintenant que tu surmontes ton peu de goût pour les enfants et que tu acceptes de venir un soir dîner chez nous afin de rencontrer notre petit Vania. Il aura 13 ans bientôt, il est déjà bien grand, il te ressemble un peu. Acceptes-tu ? Nicolas, tant de souvenirs remontent à la surface depuis que je t'ai revu ! Quand on se retrouve ainsi après un si long temps de silence, cela est sans doute bien naturel. Tant d'années communes, tant de personnes connues ensemble, la guerre… As-tu su que notre cousin Boris s'était engagé dans la Résistance, avait été arrêté, déporté et qu'il n'était jamais revenu des camps ? Je sais que vous étiez proches autrefois, mais que vous étiez en froid au moment où la guerre a éclaté. Mais tu as rompu les liens avec tellement de gens à cette époque, n'est-ce pas ? As-tu appris par notre mère ce qui est arrivé à la famille Diatkine, à Iouri et à Natacha ? Et puis, Nicolas, pardonne mon indiscrétion, tu n'es pas obligé de me répondre, as-tu jamais eu des nouvelles de Natalia et de sa sœur Nadia ? J'ai perdu toute trace d'elles, comme de tant d'autres.

J'ai trouvé charmantes tes jeunes protégées, surtout la petite Gisèle. L'autre, Malia, m'a l'air plus réservée, moins communicative, pour tout dire. Peut-être l'impressionnais-je, il paraît que je fais parfois cet effet aux jeunes filles.

Enfin, comme je te l'ai dit, nous avons le téléphone: OPEra 29 16. Fais-en usage pour me dire quel jour conviendrait le mieux à notre dîner de retrouvailles.

Je t'embrasse,

Ta sœur,

Varvara Pavlova

Angèle à Malia

11 mai 1958

Ma petite Malia, ils sont gentils, ici, tout le monde est gentil. Personne me veut du mal, ni les infirmières et même la nourriture est bonne. Ta patronne est bien bonne aussi de m'avoir fait entrer. J'espère que je vais rester, parce qu'il faudrait pas que j'essaie encore de me pendre au cou, parce que la prochaine fois j'y resterai. Même si je serai triste de te laisser, mais il y a Gisèle, si je lui ai donné la robe, c'est pour ça aussi, on est d'accord, et puis je suis rassurée parce que ta patronne aussi, elle t'aime bien, la preuve c'est qu'elle m'a fait rentrer ici où il y a que des gens pistonnés. C'est pour ça que je vais rester ici, ça me fera du bien.

Ta mère

*

En mai, les répétitions s'intensifièrent en même temps que montaient le trac et l'anxiété à la perspective de la représentation toute proche. La semaine des derniers essayages arrivait. L'épisode pénible avec Varvara Pavlova ne s'était jamais reproduit. Au contraire, celle-ci multipliait à présent les attentions au point que Malia avait fini par considérer cet événement comme un avatar du caractère lunatique dont lui avait souvent parlé Nicolas. Pourtant, à l'approche de chaque rendez-vous d'essayage, elle n'avait pu dissimuler depuis lors une légère inquiétude. À la veille de la toute dernière séance, dans une conversation avec Nicolas, elle laissa échapper à demi-mot que Varvara Pavlova s'était montrée un peu désagréable lorsqu'elle s'y était rendue seule. Nicolas fut ému et bouleversé. Il insista pour qu'elle lui raconte ce qui s'était passé. Alors elle dit tout. Elle parla de la froideur de Varvara Pavlova ce jour-là, de l'hostilité qu'elle avait ressentie, du malaise qui s'était emparé d'elle. Il la laissa parler. Quand Malia en arriva au questionnement de Varvara sur ses parents, Nicolas semblait exaspéré. Son front se plissait, de contrariété et d'une colère contenue. À la fin, alors qu'elle tentait d'atténuer l'effet désastreux que son récit faisait manifestement sur Nicolas, celui-ci lâcha :

– De toute façon, quel que soit le service qu'elle nous rend, c'est une réconciliation opportuniste, ma sœur a toujours été impossible, enfin difficile… Indiscrète. Je ne tiens pas à la fréquenter artificiellement, ni elle ni son « salon ».

*

Nicolas à Varvara Pavlova

13 mai 1958

Chère Varvara,

Je suis également heureux de t'avoir revue, n'ayant d'ailleurs jamais considéré que ma prise de distance était une brouille. Malgré les apparences, j'ai le sens de notre histoire familiale et commune. Je te suis en outre profondément reconnaissant de l'aide inestimable que tu m'apportes en cette occasion, sans rien me demander en retour. Par-delà les années, j'ai mûri, traversé comme chacun d'entre nous des épreuves qui m'ont tout à la fois endurci et adouci. Mais j'ai peu changé. Les concessions et les consensus mondains m'ont toujours été pénibles et le sont encore davantage aujourd'hui. Je ne sais d'où te vient cette idée de ma prétendue aversion pour les enfants, cela est tout à fait inexact, je te rassure sur ce point. En revanche, je pense qu'il serait prématuré de jouer ce qui serait pour moi une comédie de retrouvailles familiales. Je suis un solitaire et aussi un homme de théâtre : je ne joue que ce que je ressens comme absolument vrai au fond de moi. En parfait égoïste, je te l'accorde, je suis infiniment heureux d'avoir renoué avec ma sœur, mais pas encore prêt à faire ce qui reste pour moi des mondanités, fût-ce avec un beau-frère que j'estime et un neveu que je ne connais pas. Je n'appartiens pas à la société des hommes, Varvara, je crois plutôt que je m'apparente à celle des bêtes, la preuve: j'étais un chien fou, je suis devenu un ours. Le monde me parle peu et moi je le tiens à l'écart. Je mets une scène de théâtre entre lui et moi. Peux-tu le comprendre? Aussi n'userai-je du numéro de téléphone que tu me donnes que pour le strict indispensable entre nous. Me le pardonneras-tu? Je n'en doute pas.

Quant à ce que tu me dis de mes «protégées», Malia est une jeune fille remarquable, sensible et généreuse, dont la vie n'a pas été facile. Je te demande d'être particulièrement affectueuse avec elle. Elle le mérite et en a grand besoin en ce moment.

Chère sœur, je t'envoie mon affection la plus reconnaissante,

Nicolas

Malia à Nicolas Gounilev (carte postale, la fontaine Saint-Michel, Paris)

14 mai 1958

Cher Nicolas,

Ne vous inquiétez pas pour cette répétition remise. Nous comprenons tout à fait que vous ayez des engagements et, quant à moi, j'ai beaucoup de choses à lire pour l'université. Du coup, mercredi soir, Gisèle et Philippe vont voir jouer la nouvelle pièce de Beckett, En attendant Godot, *au Théâtre Babylone, j'ai malheureusement trop entamé mon bas de laine du mois pour m'y rendre avec eux. Je serai ravie de me promener au parc de Sceaux dimanche. J'irai voir ma mère à midi et puis vous retrouver devant le château à 2 heures.*

À dimanche prochain, donc,

Je vous envoie toutes mes pensées,

Malia

Nicolas Gounilev à Malia (carte postale, l'église orthodoxe, Sainte-Geneviève-des-Bois)

16 mai 1958

Ma chère et douce Malia,

Je me réjouis de vous voir dimanche, mais j'ai mieux à vous proposer que le parc de Sceaux. Voulez-vous m'accompagner au Théâtre Babylone en matinée? Je peux facilement avoir des places pour Godot. *Il y a une séance à 5 heures de l'après-midi. Et sans attendre dimanche, j'aimerais beaucoup aller voir le film d'Ingmar Bergman qui est sorti il y a peu sur les écrans parisiens et dont on m'a dit grand bien,* Le Septième Sceau. *Ma soirée de vendredi est libre. Irez-vous avec moi?*

Très humblement et tendrement vôtre,
Nicolas

Malia à Nina (carte postale, le Panthéon)
23 mai 1958
Chère Nina,

J'espère que votre congé de Pentecôte se déroule au mieux. Je suis allée voir le film d'Ingmar Bergman, Le Septième Sceau, *l'histoire d'un chevalier du Moyen Âge qui découvre au passage d'une procession contre la peste que le seul fondement de la religion, c'est la peur et que le bonheur réside dans les plaisirs simples de la vie. Ce film est un éblouissement. L'avez-vous vu ? Nous venons de terminer les essayages pour nos costumes qui sont superbes. Notre représentation est définitivement fixée au 19 juin, j'espère que vous pourrez tous venir, puisque je ne vous verrai pas d'ici là, je vous embrasse bien ainsi que les enfants.*

Malia

*

Le film de Bergman bouleversa profondément Malia. Le lendemain était un dimanche et elle passa une partie de l'après-midi avec sa mère. Si l'on peut dire « avec ». Elle était assise sur l'une de ces affreuses chaises en fils de plastique à la mode dont les réclames vantaient « l'assise ferme et confortable ». En un mois, Angèle était devenue une vieille femme, on lui avait ôté son dentier et ses lèvres rentraient dans sa bouche, elle flottait dans la blouse bleue de l'hôpital qui avait glissé sur une épaule saillante, ses jambes étaient maigres, pleines d'ecchymoses, la peau cyanosée. Malia regardait sa mère avec une sorte de stupeur.

Angèle dodelinait de la tête et délirait doucement. Malia distinguait parfois des mots, sans vraiment écouter.

– Il y a un message… Un message… Envoyé par la Bonne Mère… Moi, j'ai toujours cru…

Elle s'interrompait, essuyait d'une main maladroite un filet de bave, elle se rendait compte qu'elle n'était pas regardable.

– Je suis pas en état… Je suis pas en état, tu vois…

– Mais non, maman… Tu es très bien…

– Alors, il y a ce message de la Sainte Vierge…

Malia écoutait d'une oreille distraite, elle songeait au film. La peur est le fondement de la religion. C'était aussi le fondement des chars soviétiques à Budapest. Une religion, ça aussi. Cela faisait des mois que Malia n'avait pas remis les pieds dans une réunion de cellule. Elle ne s'était même pas donné la peine de rendre sa carte. Sa ferveur militante s'était détachée comme un fruit mûr, comme un amour dont on s'aperçoit un jour qu'il est fini depuis longtemps. Trop de palabres, trop de mensonges, trop d'hypocrisies. On regardait derrière son épaule, et puis... Angèle poursuivait un monologue haché et incohérent

– Ton père, il croyait pas... Il croyait pas au Bon Dieu ... .

Malia effleura la main de sa mère. Oui, oui, elle le savait, Matteo n'était pas croyant, c'était même un bouffe-curé de premier ordre, tout le monde le savait.

– Oui, maman.

– Le message, il voulait pas... C'étaient des écritures comme des dessins... Des petits ponts... petits ponts... Ton père... les Écritures...

– Oui, maman.

Les Écritures, les Saintes Écritures. « Dans les Saintes Écritures..., disait souvent Angèle, on n'a pas le droit de mal parler à sa mère, ou de se moquer d'elle, ou de se mettre colère, ou de ne pas se laver les mains avant d'aller à table, ou de faire pleurer sa mère. Dans les Saintes Écritures, ils disent qu'il faut se respecter les uns des autres... » Les uns *des* autres. C'était ça qu'elle disait, Angèle, elle le disait comme ça. Quand Malia était petite, ça lui faisait honte, elle la reprenait. Les uns *les* autres, maman. Maintenant, Angèle était une toute petite chose perdue dans une blouse bleue trop grande pour elle. Elle la regarda avec attendrissement.

Les Écritures, c'était ce livre qu'Angèle n'avait jamais lu, mais où pour elle, il y avait tout, un peu comme un livre de recettes, les « recettes de ma grand-mère » ou « les secrets de bricolage de grand-père ». Une sorte de grand bazar à ciel ouvert, où on trouvait forcément des réponses et des solutions à tous les problèmes.

Malia revoyait le chevalier errant de Bergman, cette force inouïe, surgie des profondeurs, comme une évidence, en ces ténèbres moyenâgeuses, les mêmes, lui semblait-il, que celles où avait sombré sa mère, elle revoyait cette force jaillissante qui disait : « Le bonheur se trouve dans les plaisirs simples de la vie terrestre. La religion n'est justifiée que par la peur. » Oui, maman, Matteo savait cela. Que le bonheur se trouve ici et maintenant, dans une adhésion innocente et joyeuse. Tout le reste, les croyances, la foi du laboureur, les innombrables intersignes qu'Angèle croyait distinguer comme autant d'amers lumineux dans le brouillard de sa vie, Matteo les avait volontairement toujours ignorés. Par amour, parce qu'autrefois, Angèle avait été belle et vigoureuse, parce qu'il avait aimé le noir intense de sa chevelure et le feu de ses yeux. Par fidélité à ces yeux noirs que l'épreuve de la stérilité avait éteints, juste avant la naissance miraculeuse de Malia, avant de les recouvrir d'une étrange taie blanche, un voile transparent qui fermait l'accès à son âme, il avait laissé Angèle à ses folies. Il s'était tu. Toute sa vie, mon père s'est tu. Par fidélité, par amour pour elle, pas par peur, mais par amour, il s'est tu. Il aurait pu lutter contre les démons de sa femme, la convaincre de l'accompagner dans ses joies de tous les jours, d'être à ses côtés puisqu'il avait la nature qui sauve. Il ne l'avait pas fait, il avait choisi de la laisser libre tout en continuant à l'aimer. C'était pour cela qu'il était parti sur les routes, qu'il avait continué, contre vents et marées, malgré l'âge et la fatigue et le monde qui n'était plus aux saltimbanques, mais à la guerre, puis à la guerre froide. Pour continuer à vivre avec elle qui quittait le chemin, pour cheminer à distance sans la perdre de vue. Sans la perdre.

Il l'avait perdue, il l'avait quittée le premier.

Malia regardait sa mère s'assoupir, elle songeait à Matteo. Elle songeait au chevalier du *Septième Sceau*.

Angèle s'était endormie.

Malia mit un marque-page et ferma son livre. Avant de se lever, elle jeta un long regard sur sa mère. Ses paupières étaient étrangement crispées dans le sommeil, comme si elle cherchait à se protéger d'une lumière aveuglante. Malia passa doucement sa main sur le visage d'Angèle et caressa le front rugueux. Puis elle sortit.

Dehors, un glorieux soleil de printemps éclaboussait d'or les arbres de la cour et le haut mur de pierres. Elle respira plus librement et se dirigea d'un pas rapide vers le portail.

Assis sur un banc, dans la rue, Nicolas l'attendait. Il était plongé dans une revue et ne la vit pas arriver. Son cœur battit plus fort.

*

Lettre de Nicolas Pavlovitch-Gounilev (placardée dans le hall du Cours Simon)

À mes élèves

Le 14 juin 1958

Chères toutes, chers tous,

Notre représentation aura lieu dans quelques jours. Je sais aujourd'hui avec certitude que Tchekhov, si cher à mon cœur, sera admirablement servi par chacun d'entre vous.

Je voudrais par cette lettre vous insuffler la confiance sans faille que j'ai en vous. Notre année a été riche, intense, semée de petits et grands événements, heureux ou malheureux, mais qui n'ont jamais altéré votre engagement et votre enthousiasme pour notre grande entreprise.

Avant de monter sur scène samedi et dimanche prochains, je veux vous assurer de ma reconnaissance et de mon admiration. Je veux vous dire merci. En russe: spasiba.

Je sais que samedi vous donnerez le meilleur de vous-mêmes et que vous ferez de nos Trois Sœurs *plus qu'un succès, un triomphe.*

Je vous embrasse tous,

Nicolas Pavlovitch-Gounilev

*

La première représentation eut lieu le 19 juin. Un heureux hasard qui faisait tomber cet avant-dernier samedi de juin le jour de l'anniversaire de Nicolas et, pour Malia, sur une date en 9, qui augurait toujours du meilleur. La salle était comble et ce fut effectivement un triomphe. Les trois sœurs, Malia, Marie-Thérèse et Gisèle furent chaudement applaudies, et même la vilaine belle-sœur Natalia, jouée par Denise. Il y eut quatre rappels et une ovation debout. Au dernier salut, Nicolas Gounilev monta sur scène et vint prendre la main de Malia qu'il serra en lui lançant un regard auquel elle répondit par un sourire radieux. Malia ne put s'empêcher l'espace d'un instant d'imaginer dans ce public sa mère, Matteo et même Silvio. La vie d'avant. Comme tout avait changé… Le public était maintenant debout et scandait les applaudissements. Elle ferma un instant les yeux et dédia cet instant à sa mère.

La représentation du dimanche fit également salle comble, le bouche-à-oreille ayant fonctionné à merveille, tout comme la dernière, le samedi suivant, à laquelle assistait une représentation non négligeable de notables chartrois dûment emmenés par la tante Édith. Lors de cette troisième séance, les jeunes acteurs se sentirent plus libres encore d'évoluer sur scène et à l'intérieur de leur personnage. Cette liberté trouvée dans la rigueur fut pour tous une expérience grisante et majeure.

Le dimanche 27, les jeunes filles préparèrent la petite sauterie rue Guisarde prévue de longue date pour fêter l'événement. Elles passèrent l'après-midi à tartiner de la rillette et de la Vache qui rit, à découper des lamelles de Port-Salut, à éplucher des radis et à disposer des montagnes de fraises dans le service en porcelaine de la tante Édith. Il y avait du vin rosé, gardé au frais dans le garde-manger donnant sur l'escalier, des boissons gazeuses et des cigarettes américaines.

À 6 heures du soir, la petite sonnette grésilla faiblement. Les premiers à arriver étaient Marie-Thérèse et Denise, accompagnées de deux amis et de Nicolas Gounilev. Dans l'escalier, des voix gaies s'interpellaient déjà, Armelle, Henri et Philippe apparaissaient, le dernier à moitié dissimulé par un gigantesque bouquet de roses, suivis d'une troupe joyeuse portant des bouteilles de vin pétillant. En peu de temps, le petit appartement fut plein au point que l'on dut laisser la porte ouverte afin de se tenir sur le palier.

Malia se sentait à la fois excitée, heureuse et mal à l'aise. Ici, dans ce petit appartement qui recelait toute leur intimité de jeunes filles, tout à coup, Nicolas, installé dans l'unique fauteuil, lui apparaissait déplacé. Elle aurait été incapable de mettre un nom sur le sentiment de gêne qu'elle éprouvait pour la première fois face à lui, mais s'il avait fallu le faire, c'aurait été cela, oui. Déplacé. Pas à la bonne place, au milieu d'eux tous qui avaient 20 ans dans ce petit logement de jeunes filles, et lui qui en avait plus de 40. Elle chassa cette pensée importune comme on chasse une mouche, en secouant la tête, et se sentit toute gauche en proposant de lui servir un verre de vin rosé. À cet instant précis, une main tenant un verre plein se tendit vers Nicolas, passant presque devant le visage de Malia. C'était Placido, l'ami de Philippe, l'Argentin étudiant en médecine. L'orateur de la Mutualité. Il éclata de rire en voyant le visage de Malia. Elle ne savait au juste si elle devait être vexée ou au contraire soulagée. Le rire se transforma en un sourire bienveillant et elle opta pour le second choix. « Vous ne buvez pas ? »

Nicolas s'inclina légèrement pour remercier Placido.

Gisèle, elle, était parfaitement à l'aise, proposant alentour les plateaux garnis de canapés, riant, répondant à propos. Gisèle l'exaspérait. Pour cette première « réception » chez elles, Malia se sentait si maladroite. Ce Placido était, au contraire, si expansif et direct. À un moment, il lui demanda si elle était heureuse. Ce type ne comprend rien, ne sent rien, n'a aucune éducation, pensa-t-elle. On ne pose pas ce genre de question à quelqu'un qu'on connaît à peine. Nicolas n'aurait jamais fait ça. Aussitôt, elle sentit un pincement, un éclair barra son front : comment pouvait-elle comparer Nicolas à ce type, ce gamin argentin ? Gisèle fondait pour lui, cela exaspérait Philippe, elle aussi d'ailleurs, c'était ridicule, il était assez beau, c'est vrai, avec ses cheveux noirs comme du jais. Mais il parlait trop, il riait trop fort, ses dents étaient trop blanches. Elle se mordit les lèvres, comme si elle avait pensé à haute voix. Pourquoi se préoccupait-elle de Placido alors que Nicolas semblait un peu seul malgré la nuée d'élèves qui l'entourait ? Elle le regarda, il répondait distraitement aux questions pressantes de trois jeunes comédiennes, mais semblait perdu dans ses pensées, regardant mélancoliquement par la fenêtre. Elle eut un sursaut de tendresse. Que de sensibilité et de retenue, il est tout pareil à moi. Elle se dirigea vers la fenêtre et passa une main légère sur son épaule. Il lui sourit.

– Je ne vais pas rester, Malia, je vais vous laisser entre vous, j'ai beaucoup de travail…

Elle ne le retint pas. Il prit congé en lui caressant doucement les cheveux.

– À jeudi…

La porte se ferma sur Nicolas et Malia se retourna. Appuyés contre le buffet, Philippe et Placido parlaient avec animation. Malia se dirigea vers eux.

*

Malia à Gisèle

17 juillet 1958

Ma chère Gisèle,

J'ai hâte que nous nous retrouvions à la campagne chez ta tante, hâte de retrouver nos balades à bicyclette dans les chemins, parmi les coquelicots et les blés mûrs. Plus que deux semaines ! Cette année a été dure et magnifique. Comment dire ça ? Dure à cause de ce drame de ma mère. Cela va mieux, heureusement. Magnifique parce que j'ai rencontré Nicolas. Magnifique parce que nous avons joué Tchekhov. Positive, enfin, parce que je veux aussi te dire que ma mère paraît mieux. Le docteur Gamblin dit qu'elle est beaucoup plus calme depuis qu'elle a raconté ce rêve étrange. Les rêves des autres sont toujours casse-pieds à entendre, alors je ne vais pas t'assommer avec le cauchemar de ma mère... Mais quand même, en deux mots : depuis des mois, elle rêve qu'elle voit une toute petite fille, bleue de froid, attachée sur une balançoire. Elle veut s'approcher, la prendre dans ses bras pour la réchauffer. Au moment où elle va la toucher, un homme en noir, ricanant, met le feu à la petite fille et ma mère se retrouve avec un filet de fumée entre les doigts. La petite fille est morte, brûlée. Ma mère se réveille en hurlant. Voilà, tu vois que ce n'est pas gai ! Ça dure depuis plus d'un an ! Le docteur met beaucoup d'espoir dans cette séance durant laquelle ma mère a raconté sa « vision ». Mais elle dit qu'il faut beaucoup, beaucoup de patience. En attendant, Nina et Robert m'ont assuré qu'ils continueraient à s'occuper de l'aspect financier des choses : ma mère peut rester là au moins jusqu'en octobre. Le Dr Gamblin n'imagine pas qu'elle puisse sortir avant. Je te donnerai des nouvelles fraîches en arrivant à Chartres, le 29 donc, par le train qui part de la gare d'Orsay à 16 h 08. J'arrive à 18 h 35. J'ai hâte !

Nicolas se joint à moi pour t'embrasser,

Malia

PS : J'espère que tu t'es rabibochée avec Philippe. Il était bien malheureux, le jour de la fête, et moi je sais bien qu'il y a beaucoup d'amour entre vous. Et puis je l'ai revu, ce Placido, au café L'Escholier, *il m'avait un petit air de Don Juan qui ne m'a pas plu du tout !*

*

Le 22 août, Angèle disparut. C'était un mardi. À 8 h 20, la concierge de la rue Guisarde tambourina à la porte des filles. Tandis que Malia ouvrait fiévreusement le télégramme, elle restait sur le palier les mains sur les hanches.

– C'est-y grave ?

Malia la congédia poliment d'un « Non, non, ça va, merci », ferma la porte et s'effondra sur une chaise, relisant sans comprendre la ligne sibylline du petit bleu. « Votre maman est-elle chez vous ? Merci téléphoner 435 à Châtillon. » Elle secoua Gisèle qui dormait, enfila sa robe et se précipita au *Café de la Mairie*.

– Un jeton !

Elle se ruait dans la cabine :

– Le 435 à Châtillon s'il vous plaît ! Vite, Mademoiselle… Oui, oui, je vous en prie, c'est urgent ! Allô… Je suis Amalia Lepore … Oui, j'écoute… Comment cela, pas dans son lit ?

Malia avait crié si fort que le patron s'approchait de la cabine, entrouvrait timidement la porte :

– Tout va bien, Mademoiselle ?

Malia sembla ne pas s'apercevoir de sa présence, elle continuait sur le même ton aigu :

– À quelle heure vous en êtes-vous aperçu ?... Enfin, je ne comprends pas ! Comment est-ce possible ?... J'arrive...

Le patron se retira vivement et Malia passa en trombe devant le comptoir.

C'étaient les infirmières du petit déjeuner qui avaient donné l'alerte. En entrant avec leur plateau à 6 h 30, elles avaient trouvé le lit vide. L'armoire, elle, n'avait pas été ouverte, Angèle n'avait rien emporté, pas d'argent, pas de valise, aucune affaire. Elle était partie en chaussons et dans sa robe de chambre de flanelle bleue.

La police fut prévenue, un avis de recherche fut placardé dans les commissariats et les gares de Paris, mais rien de plus. Que pouvait-on faire ? Malia ressortit dévastée des locaux de la police, Angèle n'avait plus sa tête, aucun papier d'identité, c'était chercher une aiguille dans une botte de foin.

Pour la première fois, elle s'effondra. Elle fit ce qu'elle n'avait jamais osé faire auparavant, elle se rendit directement à l'adresse du parc Montsouris, chez Nicolas Gounilev. Il était presque midi lorsqu'elle sonna. Une vieille dame avec un fort accent russe lui ouvrit et la fit patienter dans un salon surchargé de bibelots, d'œufs précieux de Fabergé et de portraits peints. Enfoncée dans un profond fauteuil à ramages, elle n'attendit pas longtemps. Nicolas entrait en trombe, stupéfait, habillé à la hâte et pas rasé. Alors qu'il était midi passé, manifestement, il sortait à peine du lit. Malia ne s'arrêta pas à ce détail et s'écroula dans ses bras. Ce fut Nicolas qui proposa de mobiliser les comédiens et tous les bénévoles du Cours Simon présents en cette fin d'été pour apposer des affichettes dans tout Paris. À 3 heures, ils étaient une petite dizaine à rédiger des affichettes de 20 sur 30 contenant l'alerte et le signalement d'Angèle, avec trois numéros de téléphone, la police, l'hôpital et celui de Nicolas. Au petit matin du lendemain, sept cents affichettes avaient été collées, y compris dans les communes du sud de Paris, Châtillon, Montrouge, Malakoff, le Kremlin-Bicêtre, Fresnes.

La journée s'étira dans l'angoisse, Malia ne quitta pas l'appartement de l'avenue Reille, près du téléphone, chez la logeuse de Nicolas. Celle-ci, avertie, se mit en quatre pour rendre l'attente moins insupportable, offrant du thé et des petits gâteaux auxquels Malia ne touchait pas, lui prodiguant des paroles réconfortantes, proposant des revues et de lui montrer son album photos de l'ancienne Russie, Odessa où elle était née. Malia disait oui à tout, ne mangeait rien, regardait distraitement les photos jaunies à bords crantés que la vieille dame commentait avec animation. Nicolas ne la quitta pas une minute. Le soir venant, la vieille dame offrit à Malia une chambre et un lit, elle posa même sur le fauteuil un vêtement de nuit, mais Malia s'allongea tout habillée et s'endormit quelques heures.

Le lendemain après-midi, Nicolas insista pour que Malia accepte de sortir avec Gisèle, faire un tour au parc Montsouris, puis au cinéma. Il promettait de rester à côté du téléphone, d'être rue Guisarde dans la demi-heure qui suivrait l'appel. Il insista tant pour le cinéma que Malia accepta, pour lui faire plaisir. Elle regarda sans le voir un documentaire sur les phoques qui passait non loin de chez elles, rue Victor-Cousin, en consultant sa montre dans le noir quand le film éclairait suffisamment. À 9 heures du soir, Malia et Gisèle étaient de retour rue Guisarde. À minuit, il n'y avait aucune nouvelle de Nicolas et elles durent aller jusqu'à Saint-Germain-des-Prés pour trouver un café ouvert avec une cabine. Il n'y avait eu aucun appel. Malia rentra, se coucha et, étrangement, dormit cette nuit-là, d'un sommeil lourd.

Le porteur du pneu arriva un peu avant 8 heures, au moment où Malia passait devant la loge. Nicolas disait de venir, qu'Angèle était chez lui. C'était si invraisemblable, cela : « Votre mère est chez moi, nous vous attendons. » La phrase sonnait impossible. Malia vola jusqu'au parc Montsouris. Dans le taxi qui les ramenait à Châtillon, Angèle ne cessa de répéter à sa fille, en se penchant vers elle, comme en confidence :

– On m'avait volé ma robe… Tu comprends… ? Je suis partie chercher la robe… Ils veulent pas la rendre… Non, ils veulent pas…

*

Malia à Nina
28 août 1958
Chère Nina,

Nous respirons tous. Ma mère a donc réintégré la clinique et semble moins agitée. Mais elle divague, ce que confirment les infirmières. La surveillance a été resserrée autour d'elle, Dieu merci. Aujourd'hui, elle n'a cessé de me réclamer son « sauveur ». Vu qu'elle se réclame toujours de sa « sainte Mère », j'ai mis un petit moment à comprendre qu'il ne s'agissait pas de Jésus-Christ, mais de Nicolas ! J'ai donc demandé à Nicolas de m'accompagner demain à la clinique, ce qu'il a accepté de faire, avec beaucoup d'amitié, je dois avouer, puisque au fond, il ne connaît ma mère qu'à travers moi et aussi brièvement l'autre jour lorsqu'on l'a ramenée chez lui.

Nous allons donc ensemble à la clinique, j'appréhende le moment, j'ai toujours peur que ma mère dise des énormités, mais Nicolas a eu le tact de me dire qu'il n'y attachait pas d'importance.

Je vous raconterai tout, chère Nina,

Merci pour votre amitié, jamais démentie depuis un temps qui me paraît aujourd'hui, de toujours,

Malia

Malia à Nina

1er septembre 1958

Chère Nina,

Ma mère a appelé Nicolas « mon sauveur » pendant toute la visite. Elle ne cessait de lui prendre les mains et de le regarder avec des larmes dans les yeux en répétant « mon sauveur » et « c'est vous qui m'avez rendu ma petite ». On n'y comprenait rien, sauf sans doute qu'elle inversait les choses, c'est-à-dire qu'il me l'avait rendue, elle, à moi ! Si on veut. Enfin, l'infirmière me l'a gentiment confirmé : « Elle déraille, votre maman, mais elle se tient tranquille, au moins, maintenant. » Et j'ai compris qu'ils lui donnaient des médicaments pour la calmer. Je ne sais pas si c'est une bonne chose, enfin, je n'y connais rien. Ma mère a répété des paroles sans suite, c'était un peu gênant, à la longue, et quand nous avons voulu partir, elle s'est mise à pleurer comme une enfant en disant « Vous n'allez pas me laisser toute seule dans le froid, avec mon petit manteau. » L'infirmière a redit « Elle est bien soignée, vous pouvez partir tranquilles. » Nous sommes partis, ma mère pleurait à gros sanglots. C'était si triste, Nina, si triste. Je suis bien malheureuse de voir ma mère dans cet état. Je vous embrasse bien fort,

Malia

Malia à Nicolas Gounilev

10 septembre 1958

Mon tendre ami, j'ai besoin de vous, je me sens perdue. Ma mère est de nouveau dans une grande détresse. Elle ne parle plus, elle n'a pas prononcé un mot depuis que nous y sommes allés ensemble, la semaine dernière. La gentille infirmière (celle que nous aimons bien) m'a dit qu'elle était en train de rechuter. Je ne suis même pas sûre qu'elle m'ait reconnue. C'était dimanche, je n'ai vu que le médecin de garde, mais il a laissé entendre qu'il faudrait sans doute l'hospitaliser dans un autre établissement. Pouvez-vous me recevoir ?

Votre profonde amie qui vous chéris,

Malia

*

Au mois de septembre, les choses se dégradèrent brusquement. Après la fugue, ce fut le gouffre. D'un coup. Un dimanche matin, en se réveillant, elle ne reconnut plus sa chambre. Ni l'infirmière ni le docteur Gamblin. La clinique appela Malia qui vint précipitamment. Sa mère l'appela Rose, du nom de la sœur née et morte avant Angèle et qu'elle n'avait jamais connue, sinon dans les prières qu'on l'obligeait à faire il y avait bien longtemps, dans la ferme du Poitou, quand la foudre tombait, que l'orage fouettait les grands arbres et menaçait les toitures. Ce même nom dont on avait nommé l'autre enfant mort-née, la petite dernière à laquelle Dédée, la mère d'Angèle, n'avait pas survécu. Malia connaissait cette histoire de sa grand-mère. Elle fut bouleversée. Elle tint longtemps la main de sa mère. Tout le temps qu'elle passa auprès d'elle, cet après-midi-là, Angèle l'appela Rose.

Le docteur Gamblin décida un nouveau protocole. Angèle ne parlait plus de se «pendre au cou», sa nouvelle folie semblait presque douce, mais elle ne connaissait plus de répit. Elle resta sous surveillance constante.

Les cauchemars n'étaient pas revenus, mais dans cet océan d'irréalité dans lequel Angèle semblait flotter en permanence, un nouveau point d'angoisse était survenu. Parfois, en plein sourire, un sourire étrange à des limbes qu'elle seule voyait, son visage se figeait brusquement. Elle prononçait des paroles sans suite, articulant difficilement :

– Il y a bien une lettre, une lettre... une lettre... avec des petits ponts... une lettre... petits ponts, oui...

Sa main décharnée s'élevait parfois, comme pour tracer un vague signe dans l'air, puis retombait, épuisée. Elle répétait ces mots inlassablement, semblait chercher à quoi ils se rapportaient, très loin, tout au fond de sa mémoire douloureuse, de son cerveau épuisé, elle ne trouvait pas. Alors elle secouait lamentablement la tête et se reprenait à sourire, comme on se repose, à appeler Malia, Rose et l'infirmière, Madame Édith.

Gisèle eut l'idée de demander à sa tante de faire le voyage de Chartres pour visiter la malade. Peut-être le choc de ces retrouvailles serait-il salutaire ? La brave dame n'hésita pas une seconde. Fin septembre, elle prit le train pour la gare d'Orsay, puis l'autobus 63. Elle retrouva Gisèle à Saint-Germain-des-Prés et toutes deux prirent un taxi pour se rendre à Châtillon où se trouvait la clinique. Il avait été convenu que Malia ne les accompagnerait pas.

Angèle était prostrée lorsque Gisèle et sa tante entrèrent dans sa chambre. Elle resta dans cet état d'hébétude pendant presque la totalité de la visite, alors même que Madame Édith tentait, par un bavardage plein de naïveté et de fraîcheur, de réveiller les souvenirs de son ancienne bonne.

– Ma petite Angèle, souvenez-vous du bon temps, quand les filles jouaient au jardin ! Vous nous serviez le thé sous la véranda, vous prépariez le clafoutis avec les petites griottes de la haie, mon mari, Monsieur Robert, l'adorait, vous vous souvenez de Monsieur Robert ? Gisèle et Malia se disputaient la dernière part et Malia finissait toujours par céder !

Gisèle se forçait à rire, tante Édith aussi, Angèle les regardait fixement sans ciller.

– Angèle, je suis Madame Édith, vous me reconnaissez, quand même ! Je vais me vexer, à la fin !

Angèle hochait la tête, un léger tremblement agitait sa lèvre inférieure, comme si elle allait pleurer. L'infirmière entra, dit doucement qu'il ne fallait pas fatiguer la malade. Gisèle et sa tante se levèrent. C'est à ce moment qu'Angèle articula ses premières paroles à l'attention des visiteuses sur le point de partir. D'une voix un peu rauque, comme venue d'ailleurs, elle dit distinctement :

– Il y a des lettres… Des lettres… Faut pas…

Gisèle s'approcha d'elle, lui prit la main :

– Quelles lettres, Angèle ? Où ça, des lettres ?

Mais Angèle était retombée dans sa léthargie. Elle souriait au plafond.

*

Malia à Nicolas Gounilev,

1er octobre 1958

Cher Nicolas,

Je ne pourrai pas venir à notre rendez-vous : ma mère a été transférée à l'hôpital Sainte-Anne hier. Elle a eu un petit accident cérébral et elle est dans le service de neurologie. Sa santé se dégrade, et elle perd complètement la tête. Pardonnez-moi, je suis pourtant très triste de ne pas vous voir,

Malia

Malia à Nicolas Gounilev (carte postale Notre-Dame)

14 octobre 1958

Cher Nicolas, je me vois encore dans l'obligation d'annuler notre rendez-vous. Je resterai à l'hôpital demain après-midi. J'ai écrit à mon frère à Toulouse pour qu'il vienne. Cher Nicolas, je me sens si seule. Parfois j'ai l'impression qu'en réalité, vous êtes ma seule famille.

Avec toute mon affection, Malia

Nicolas Gounilev à Malia,

16 octobre 1958

Ma petite Malia, mon trésor,

Vous ne pouvez me donner davantage de joie qu'en m'accordant cette belle confiance : oui, nous sommes de la même famille. Famille de cœur et d'esprit, famille d'émotions, de sensibilité, de bonheurs et de tristesses, de sentiments. Malia, vous m'êtes si proche, si secrètement proche, ai-je besoin de vous le dire ?

Je suis à vos côtés et le serai toujours.

Un signe de vous et je vous retrouve où vous voulez, pour parler, pleurer si vous en avez besoin, vous prendre dans mes bras,

Votre, aimant,

Nicolas

Malia à Nicolas Gounilev (pneumatique)

20 octobre 1958

Je perds pied. Pouvons-nous nous retrouver au Royal *demain à 6 heures du soir ?*

J'ai besoin de vous,

Malia

*

Angèle mourut au matin du 22 octobre. Une épaisse couche de nuages semblait s'être amoncelée sans discontinuer depuis ce jour brutal de septembre où son esprit s'était irrévocablement retiré.

Jusqu'à la fin du mois d'octobre, elle ne parla plus que pour proférer d'étranges rêveries qui ne s'adressaient à personne, sinon à « Rose » quand Malia était près d'elle, à « Madame Édith » quand l'infirmière s'occupait d'elle. Elle aimait cette infirmière-là, celle qu'elle appelait Madame Édith et s'abandonnait volontiers à ses soins, depuis le début, alors même qu'elle n'avait pas encore replongé dans cet ultime abîme. Et puis il eut un jour différent. Ce jour-là, Malia n'aurait su dire à quoi elle le percevait, où la rêverie prit brusquement une autre teinte. Comme si Angèle prenait une direction. Elle parla longuement, presque distinctement, toujours en regardant le plafond. Elle s'adressait à « Madame Édith ». L'infirmière fit mine de prêter l'oreille tout en lui tenant une main qu'Angèle serrait de toutes ses forces. Des choses incompréhensibles comme souvent, mais à la différence des autres fois, ces choses sonnaient très profondément, comme ayant un caractère de vérité.

Angèle dit à « Madame Édith » qu'elle n'avait pas porté « Rose » dans son ventre. Elle parla de la guerre, d'une foule qui courait, d'une route noire, si noire. Elle répéta plusieurs fois qu'elle ne l'avait pas portée. Pas porté dans le ventre d'Angèle, « la petite Gégée, elle peut pas avoir d'enfant ». Sa voix était tout à coup différente. « Elle peut pas à cause que la mère elle a fait passer le bébé parce que ça aurait pas été convenable, le père il aurait tué la petite Gégée.» Elle s'arrêta un instant, son petit visage froncé tout entier comme une pomme d'automne, et répéta d'un air convaincu: «Oui, il l'aurait tuée, s'il l'avait su.» Elle s'arrêta, respirant difficilement et Malia retenait son souffle, l'accordant inconsciemment à celui de sa mère. Angèle poursuivit, comme s'adressant à un public imaginaire. «Faut dire que la petite Gégée, elle était gamine, pensez, elle avait pas 14 ans, alors... Après il a fallu la cacher tout ça, à cause du père... Elle est restée toute seule dans la grange avec la fièvre, elle a failli y rester, mais après c'était fini, elle pouvait plus avoir d'enfant. Elle avait plus de ventre.» Elle le répéta plusieurs fois, «plus de ventre» et elle pleurait, mais elle était si faible qu'elle ne pouvait pas pleurer et parler en même temps, il fallait lui essuyer le visage et la moucher.

Un peu plus tard dans l'après-midi, elle parla d'un jardin public et d'une balançoire. Sa parole était de plus en plus haletante et difficile, elle parlait comme en proie à une hallucination, interrompue sans cesse par l'image qui ne parvenait pas à se fixer en mots, ou la respiration qui tout à coup manquait. Bien que parlant en direction du plafond, elle semblait s'adresser à celle qui était pour elle «Madame

Édith». Sur la balançoire, il y avait un petit paquet. «Petit... petit... paquet.» L'infirmière et Malia lui tenaient chacune une main, elles se rapprochèrent tout près de sa bouche. Angèle souffla «Toute petite fille... Rose... pleurait pas...» Angèle poussa un profond soupir et dans une expiration difficile, ajouta: «Elle avait froid.» Cette phrase, elle la prononça distinctement, comme si c'était la plus importante de toutes. Elle la répéta plusieurs fois, avec une sorte d'insistance. «Elle avait froid.» Et puis elle se tut, tourna la tête sur l'oreiller, ferma les yeux. Au bout d'un court moment, elle bougea la tête et reprit ce regard fixe. Ses lèvres se mirent à remuer, sa voix n'était plus qu'un filet de souffle. Malia et l'infirmière se regardaient, sans dire un mot, sans bouger, mais toutes les deux entendirent la même chose. Il était de nouveau question de «lettres... avec des petits ponts... petits ponts... alors on savait pas». Elle répéta encore: «non... les petits ponts ... on savait pas...». Ensuite, il y eut un très long silence.

Tout à coup, Angèle tourna la tête vers Malia et la regarda. C'était la première fois depuis qu'elle avait sombré, en août, qu'elle la regardait, et Malia comprit que c'était la dernière. Des larmes se mirent à couler des yeux d'Angèle. Elle articula: «Tu... as... dit...». Et puis elle ferma les yeux.

Elle mourut ce soir-là.

Malia resta longtemps à côté du lit, sans vraiment comprendre, regardant, hébétée, le drap sur la poitrine de sa mère qui ne se soulevait plus, tenant la main encore tiède qui se refroidissait. Vers minuit, l'infirmière vint la chercher, la prit doucement par le bras. « Il faut rentrer… »

Dans le taxi, la douleur envahit brutalement tout son corps.

*

Nicolas Gounilev à Malia

24 octobre 1958,

Chère, chère Malia,

Tu ne dois pas douter de moi, tu as mon épaule pour pleurer et mon cœur pour t'aimer. Mais je t'en supplie, avant tout, tu ne dois pas douter de toi. Ce qui s'écroule n'est pas en toi. C'est une construction passée qui n'est pas la tienne, mais celle d'une femme en détresse, une détresse profonde qui n'a appartenu qu'à elle et qui n'a rien à voir avec l'amour immense qu'elle t'a porté. Tu ne dois pas faire tien son malheur, en découvrant ce que l'on ne peut qu'appeler, bien sûr, un « mensonge », mais un mensonge qui lui était nécessaire pour vivre. Et l'immense désespoir de n'avoir pas pu être une mère dans sa chair. Ta tristesse est profonde, mais tu es forte, construite, ton âme est magnifique. Tout est en toi, tout ce qui fait vivre. Tu le dois à cette fondation solide qui est la tienne propre. Mais tu le dois aussi à l'amour infini que t'a porté Angèle. Avec son secret qui n'appartient qu'à elle. Tu es autre, Malia, tu ne dois pas être la vestale du passé. Tu es l'auteur de ta vie à venir. Pleure ta mère, pleure ta mère aimante, généreuse et souffrante. Mais n'entache pas ta tristesse d'un tourment ni d'un jugement. Chère Malia, je te le redis, repose-toi désormais sur mon épaule, prends appui sur mon amour, sois assurée de la profondeur de mes sentiments. Aie toute confiance en la merveilleuse personne que tu es.

Je suis tien de toute mon âme,

Nicolas

Malia à Nina

12 novembre 1958

Chère Nina,

Merci à vous tous pour votre présence et votre soutien. Merci de m'avoir accompagnée jusqu'au bout, tout au long de ces longues semaines, de m'avoir soutenue et écoutée lorsque je vous parlais d'elle, de ses souffrances physiques et morales, de ces paroles énigmatiques qu'elle prononçait à la fin et qui me troublent encore. Saurai-je jamais de manière certaine, comme vous me l'avez suggéré l'autre jour, que ma mère a été avortée par sa propre mère qui était sage-femme, mais aussi «faiseuse d'ange», et rendue définitivement stérile? Saurai-je jamais ce que furent pour elle la «balançoire», les «petits ponts»? Merci de m'avoir réconfortée lorsque je vous ai fait part de ces dernières paroles, sibyllines et en même temps si peu en réalité, puisqu'elles me laissent à la mort de ma mère sans aucune connaissance de mes véritables parents. Comme si je n'étais jamais née.

Je dois vider la maison de Bures avec mon frère, la semaine prochaine. C'est urgent car il repart à Toulouse. Aussi, je ne pourrai pas venir avant le 28. Je ne peux vous proposer mon remplacement par Gisèle car elle est chez sa tante jusqu'au 23, toutefois elle pourrait venir à partir du 24.

Je vous embrasse bien,

Malia

*

Ni père ni mère. C'était cela, à présent, mais cela avait toujours été. À la mort d'Angèle, Malia recevait de plein fouet une vérité qui la laissait chancelante, au vrai presque invivable. Elle venait de rien, d'un ailleurs inconnu de tous. Elle venait du ciel, de la terre, de la forêt profonde, de l'eau qui court, des nuages, de l'herbe, de l'orage. De la nuit. D'amours sordides, d'un coït bestial, d'une étreinte anonyme, d'un viol au fond d'un fossé. Elle était fille d'un clochard ou d'un dieu, fille du vent. Fille de rien. Personne ne l'avait mise au monde. La mort d'Angèle était un gouffre béant au bord duquel elle titubait.

Elle pensa à mourir parce que mourir était l'état le plus proche du sien. Le néant le plus absolument juste en cet instant où la vie lui était brutalement retirée, comme interdite. La tête lui tournait si fortement que pendant ces jours d'abîme elle ne pouvait se tenir debout.

Ceux qui avaient dit l'aimer lui avaient menti. Elle crut devenir folle, pensa que c'était de ce mensonge que sa mère était devenue folle et était morte. Elle voulait bien mourir, mais pas devenir folle. Elle se dit aussi, à un moment, qu'elle s'était mise au monde elle-même et, étrangement, cette pensée fut fraîche et apaisante. Elle prononça la phrase à voix haute: «Je me suis mise au monde moi-même.» Et, oui, cela l'apaisa. C'était, contre toute attente, une possibilité de vivre, cette phrase-là. Cela rétablissait une sorte de réalité qu'elle reconnaissait comme sienne. C'était vrai qu'elle s'était mise au monde elle-même, c'était précisément cela qu'elle sentait depuis toujours. Elle s'accrocha à la phrase comme à une planche de salut. Elle se la répéta, pleura moins, son esprit lui sembla momentanément arrêter sa course folle, comme une rivière en crue regagne son lit.

Ce soir-là, elle gagna le sien et dormit pour la première fois depuis la mort d'Angèle.

*

Gisèle à Malia

13 novembre 1958

Malia, ma chérie,

Ne veux-tu pas attendre que je revienne pour vider la maison de Bures? Je pense que cela sera une épreuve et que Silvio ne te sera pas d'un grand secours. Je peux avancer d'un jour mon retour, malheureusement pas plus car je me suis engagée auprès de mon oncle et ma tante. Mais je peux être là le 22 au soir. Nous pourrions aller ensemble à Bures le 23. Qu'en penses-tu?

Tendresse, tendresse et courage, ma chère petite Malia,

Gisèle

Malia à Gisèle

14 novembre 1958

Chère Gisèle,

Merci pour ta proposition, c'est gentil. Mais Silvio repartant très vite pour Toulouse, je n'aurai pas la force de rester dans la maison toute seule après son départ. Aussi, je veux le faire le plus vite possible. Je pense avoir tout bouclé après-demain. Et nous fermerons la maison ensemble, Silvio et moi. Ensuite, nous devons aller chez le notaire et mettre la maison en vente. Aussi, ne te presse pas, reviens comme tu l'avais prévu. Encore une fois, je suis touchée de ta proposition et t'en remercie.

Je t'embrasse,

Malia

*

L'heure tournait et Silvio perdait patience. Malia l'entendait pester à la cuisine. Le rendez-vous chez le notaire avait été fixé en fin d'après-midi, mais il y avait encore beaucoup à faire et il n'était pas question de retarder son départ pour Toulouse le lendemain. Malia songeait que Silvio avait toujours été comme ça, préoccupé uniquement de lui-même. À travers la cloison, elle l'entendait jeter sans distinction, à grand fracas. Elle se leva et le lui dit gentiment.

– Regarde quand même, Silvio, fais attention à ce que tu jettes !

– On n'en a rien à faire de tout ce bazar !

Elle n'insista pas, retourna s'agenouiller dans la chambre de sa mère, parmi des montagnes de vieilleries, linge, boîtes, vêtements, papiers. Elle triait. Elle avait fait trois tas. Le plus gros, sous la fenêtre, « à jeter ». Un moyen, « à garder ». Un petit, « à regarder ». En un geste qui devenait de plus en plus mécanique au fil des heures, elle jetait sur le gros tas. Piles de romans-photos, vieilles quittances, petites étuis plastifiés contenant des billets de loterie, coupons de tissu tachés, vieux jouets à elle, cassés, poupées démembrées gardées comme des reliques dans leurs boîtes d'origine, qu'elle jetait d'un geste rageur, boîtes à chaussures remplies de petits objets orphelins et inutilisables, anneaux de rideaux rouillés, boucles d'oreilles dépareillées, épingles, cadres à photos sans photos, photos d'inconnus, recettes de cuisine maculées de graisse. Elle aussi jetait, triant rapidement, le cœur serré, maintenant, dans l'impatience d'en finir, mettant de moins en moins de choses à sa gauche, sur le tas « à garder ».

Ils étaient là depuis le matin. En entrant, Malia avait été prise à la gorge par l'odeur de moisi, de renfermé, de rance. De vieux. Depuis avril et l'hospitalisation d'Angèle, elle n'était venue que trois fois, en coup de vent, pour chercher des affaires. Les volets n'avaient pas été ouverts. Dans l'armoire de la chambre, cela sentait le sale. Du petit linge porté, des combinaisons en Nylon rose saumon roulées en boule, son tablier de tous les jours, graisseux, tout était sale, en désordre. Devant l'armoire ouverte, Malia fut assaillie par la tristesse et le dégoût. Elle jeta tous les vêtements, sans faire aucun tri. Sur la planche la plus basse, les souliers, des charentaises déformées par les « oignons » de sa mère, l'unique paire de « chaussures de ville » portées une fois, il y avait des années, l'après-midi du fameux goûter chez Nina, ses savates en peluche synthétique roses, usées jusqu'à la corde, une boîte à chaussures... Le tout vint rejoindre le gros tas sous la fenêtre. En atterrissant, la boîte à chaussures s'ouvrit et lâcha un petit sac à dos bleu qui roula sur le sol. Malia le remit sur le tas. Elle s'apprêtait à vider une autre étagère, quand elle avisa par terre des feuillets jaunis, manifestement tombés du petit sac bleu. Elle ramassa et regarda machinalement. Des vieilles lettres. Elle reconnut l'écriture maladroite de Matteo, en italien, et fut submergée de tristesse. Les trois autres étaient en alphabet cyrillique. Elle essaya de déchiffrer l'écriture manuscrite, penchée vers la droite. Son apprentissage du russe ne l'avait encore jamais mise en face d'une écriture manuscrite. Elle tentait de lire à haute voix pour reconstituer ce que l'encre passée rendait par endroit illisible, lorsque Silvio fit brusquement irruption dans la chambre.

– J'ai fini. Tout ce qu'on garde est dans la camionnette, j'ai porté le reste à la décharge municipale.

Il désigna le tas sous la fenêtre.

– J'embarque ça ?

Puis, avisant sa sœur, des lettres à la main.

– C'est pas le moment, Malia ! On a rendez-vous dans une heure ! Magne-toi !

Avec un soupir, Malia rangea les lettres dans le sac à dos bleu et mit celui-ci sur le tas « à garder ». Elle ferait ça quand elle aurait le temps. Elle demanderait peut-être à Nicolas de l'aider.

*

Malia à Nina

18 novembre 1958 (mot laissé chez la concierge du 15, rue Malebranche)

Chère Nina,

Je suis venue sans prévenir, pardon, il n'y a personne. Puis-je vous voir de toute urgence ? S'il vous plaît, répondez-moi par pneumatique, je reste chez moi. Je crois que mon cœur explose, je viens de lire les lettres.

Malia

Lettres trouvées dans le petit sac à dos bleu, écrites en russe :

octobre 1937

Mon aimée,

C'est une joie et aussi une douleur. Tu attends un

enfant. Norah, tu sais combien je t'aime. Aussi, ne t'afflige pas d'entendre maintenant la raison. C'est le même homme, celui qui t'aime, qui s'apprête à te parler. Je sais que tu vas le comprendre : je ne puis ni ne dois reconnaître cet enfant. Je n'ai aucune situation, je suis un paria de la société française : réfugié, apatride, sans travail. Tu es juive, fiancée à un étudiant en médecine de la même confession que toi. Pour ta famille qui a fui les persécutions russes, pour ton fiancé, je représente les bourreaux, les pogromes. Je suis le Mal incarné. C'est un déchirement sans nom, un abîme où, je le sais, dans l'instant je te plonge. Mais cet enfant ne doit pas naître dans l'opprobre. C'est en son nom que je te parle. Tu me dis que tu as tout avoué à ton fiancé et qu'il est prêt à le reconnaître. Mais tu as refusé. Je t'en supplie, accepte, au nom de ce que nous avons vécu ensemble. Fais ce geste inouï, par amour pour moi et pour l'enfant. Songe à son avenir. Je ne pourrai jamais, à tous points de vue, être le père digne de cet enfant : vis-à-vis de ma famille (ma mère est âgée, pétrie de conventions), vis-à-vis de la tienne, eu égard à ma situation. Mon frère Micha est chauffeur de taxi, j'ai coupé les ponts avec ma sœur aînée, je suis un crève-la-faim nourri d'idéalisme. Et puis, tu le sais, mon rêve, le théâtre, si jamais il se réalise, ne nourrit pas une famille. Si tu acceptes la proposition généreuse de Max, ton enfant sera élevé, éduqué, sauvé. Ton mari sera bientôt médecin, sa famille est intégrée dans la société française, riche, il pourvoira à ses besoins. Je ne suis rien, ma famille est ruinée. Ensemble, nous mènerions une vie misérable dont nous porterions l'un et l'autre la responsabilité. Norah, je vais maintenant te faire la plus grande violence qui soit. Je sais que tu ne te rendras pas à mes raisons, je connais ta nature passionnée. Aussi je vais quitter la France. Nous ne nous reverrons pas, Norah.

Sache que je n'aimerai plus jamais comme je t'ai aimée et que je porte notre enfant dans le secret de mon cœur. Adieu,

N. P.

Mademoiselle Norah Wilter,

5, rue Broca

Paris Ve

Chère Mademoiselle,

Paris, le 12 janvier 1938

J'ai appris par le plus grand des hasards tout à la fois votre situation et l'indignité de mon frère. Sachez que je n'ai pas vu Nicolas Pavlovitch depuis plusieurs années, depuis que sa conduite scandaleuse m'a contraint de prendre mes distances d'avec lui que j'aimais pourtant tendrement. Nous ne nous connaissons pas. Il se trouve que l'une de mes clientes est Mme Ortega chez qui votre sœur Nadia travaille comme secrétaire. Mme Ortega est israélite, comme vous-même, je crois, mais néanmoins une excellente femme qui a modifié quelque peu mes opinions concernant les personnes de votre confession et qui a suscité les confidences de votre sœur. Celle-ci lui a confié votre désarroi et le sien, dont ma cliente m'a ensuite fait part lors d'un de ces longs essayages auxquels notre métier nous contraint. Vous imaginez mon trouble et ma colère lorsque j'ai réalisé que le lâche qui vous a séduite et abandonnée n'était autre que mon frère Nicolas. Je ne peux réparer la faute inqualifiable dont je me sens indirectement, ainsi que ma famille, tout à la fois responsable et éclaboussée. Mais je suis femme et c'est en tant que femme que je voudrais vous tendre une main secourable. Aussi le colis que vous trouverez en même temps que cette lettre vous paraîtra-t-il bien peu de chose. Mais qu'au moins, il vous apparaisse pour ce qu'il est : le geste d'une presque sœur à sa pareille en détresse. Je sais que vous êtes dans le besoin et qu'en guise de soutien, apprenant votre état, mon frère vous a signifié qu'il vous quittait. Je suis horrifiée. Malgré mon éducation, je ne suis pas bégueule et nous avons déjà trop souffert nous-mêmes pour ne pas être révoltés à l'idée qu'un être souffre à cause de nous. Je vous adresse donc, par l'intermédiaire de votre sœur à laquelle j'ai demandé à ma cliente de le remettre, ce paquet contenant quelques vêtements sortis de mes ateliers (ainsi qu'un petit pécule, insignifiant, mais qui pourra peut-être aider aux débuts de cette nouvelle vie). J'espère qu'ils contribueront à rendre votre situation un tout petit peu plus supportable. Vous y trouverez des lainages confortables pour vous, deux châles brodés, une capeline simple en sergé, une veste de velours doublée de molleton dont les boutons peuvent être déplacés quand vous souhaiterez l'élargir, ainsi que cette robe en soie double lilas, bien chaude, solide, bien ample que vous pourrez porter pour tous les jours mais aussi pour les occasions et, je pense, jusqu'à un moment avancé de votre grossesse. J'y ajoute un petit ensemble premier âge pouvant être porté indifféremment par un petit garçon ou une petite fille. Surtout ne me remerciez pas, je n'indique, du reste, pas mon adresse, je suis affreusement chagrinée de ce que Nicolas Pavlovitch vous fait subir et cependant, je ne puis cesser complètement de l'aimer comme mon frère. C'est pourquoi il vaut mieux que nous ne nous rencontrions jamais. Je vous adresse toute ma tendresse. Que Dieu vous bénisse ainsi que votre enfant,

Varvara Pavlova Gounilev

Lyon, 13 novembre 1940

Norah, je suis fou d'angoisse. Je n'en ai aucun droit puisque je suis un lâche. Mais je jette quand même cette lettre comme une bouteille à la mer. J'ai lu dans le journal l'annonce du mariage de Max Heilbronn. Tu ne t'es donc pas mariée, personne ne se soucie de te prémunir des dangers qui menacent les Juifs. Tu es seule avec notre enfant quelque part, tu te caches. C'est insupportable de penser cela. Norah, je n'ai pas quitté la France. Je vis aujourd'hui à Lyon où j'ai une situation, une vraie situation puisque je suis régisseur d'un théâtre. Norah, oui, j'ai fui il y a deux ans, lâchement, mais pensant sincèrement que tu te marierais et serais à l'abri, avec l'enfant. Je viens de comprendre qu'il n'en est rien et que probablement vous êtes l'un et l'autre dans le plus grave des périls. Je te supplie d'entendre mon appel : toi et l'enfant, rejoignez-moi en zone libre. Quels que soient tes sentiments et ta colère, accepte aujourd'hui que je vous protège. Je t'en conjure, viens à Lyon où tu ne seras pas inquiétée. Je peux organiser votre passage à partir de Moulins ou Saint-Étienne, je peux venir vous y chercher. Je ne sais rien de toi, peut-être t'es-tu quand même mariée à un autre ? Mais pourquoi l'aurais-tu fait ? Tu peux m'écrire à l'adresse suivante : 24, rue des Tanneurs, Lyon v^e^,

N. P.

17 janvier 1941,

Norah, tu ne réponds pas. Tu m'en veux terriblement. Je le comprends. Mais je réitère, j'insiste : si tu reçois cette lettre, si toi et l'enfant êtes dans le danger que je crois, rejoignez-moi à Lyon. Je suis un misérable, mais un malheureux. Je ne sais même pas si notre enfant est un garçon ou une fille. Si c'était une fille, tu voulais l'appeler Maya… Je ne sais rien parce que je n'ai rien voulu savoir, parce que j'ai cru qu'il valait mieux donner à cet enfant un père digne et responsable plutôt qu'un père qui était lui-même un enfant. Je me suis caché derrière de fausses raisons auxquelles j'ai cru : nos différences de situation, nos antagonismes familiaux, ma précarité. La réalité, c'est que j'ai eu peur. J'ai été saisi de terreur à l'idée de cette vie qui s'annonçait et à laquelle j'aurais désormais à rendre des comptes. Je me croyais jeune et libre, j'étais entravé par mon égoïsme de jeune mâle. J'ai changé, Norah. Les événements ont précipité ce changement et c'est sans doute leur seul bénéfice. Je n'ai pas la prétention de réparer l'irréparable, je prends le risque que tu refuses, que tu me rejettes ou même que tu ignores cette lettre. Quoi qu'il en soit, encore une fois, je vous attends, ici à Lyon, en zone libre. Je vous accueillerai et vous protégerai comme un père et un mari.

À vous, à toi, Norah,
Nicolas Pavlovitch Gounilev
24, rue des Tanneurs
à Lyon Ve

*

Malia à Nicolas Gounilev

20 décembre 1958

Monsieur Nicolas Pavlovitch Gounilev,

Quand vous saurez ce que j'ai à vous dire, vous comprendrez à la fois pourquoi je vous appelle par votre patronyme et pourquoi nous ne devons plus jamais nous revoir. En vidant la maison de ma mère, j'ai trouvé un sac qui contenait des lettres. Trois lettres de vous, datées de 1940, écrites en russe. Je les ai lues, puisque c'est vous-même qui m'avez appris à lire le russe manuscrit dans votre propre écriture. Il y avait aussi le brouillon d'une lettre de mon père Matteo à sa mère, en Italie, à Capodimonte, dans laquelle il raconte mon adoption puisque j'ai été trouvée dans un jardin public, attachée à une balançoire, le 25 février 1941. Il y avait enfin une lettre de votre sœur à ma véritable mère, Norah Wilter.

Je suis la fille que vous avez eue avec Norah en 1938. Mon histoire, celle de ma mère et de ma naissance figurent dans vos lettres et dans la lettre de Matteo. Il y raconte aussi comment par amour pour sa femme Angèle que sa stérilité rendait presque folle, il a accepté de mentir, de me mentir, de mentir à tous par la suite pour laisser croire que j'étais leur enfant. Il se trouve que le remords, ou un sentiment obscur que je ne saurais nommer, a poussé ma mère à conserver ces reliques, ces misérables et précieux papiers.

Ne pouvant, bien sûr, imaginer que ma véritable mère m'ait abandonnée dans ces circonstances, j'ai fait quelques recherches, aidée par ma patronne et amie, Nina V. Il nous a suffi d'aller au commissariat du quartier Saint-Victor, dont dépend la rue Broca. C'est sans doute moi qui vous l'apprends : Norah Wilter, ma mère, a été arrêtée le 14 février 1941 à son domicile, ainsi que deux familles juives habitant l'immeuble du 5, rue Broca. Tous ont été déportés en Allemagne d'où aucun n'est revenu. Dans les registres de la police, il n'est pas fait mention de moi. Sans doute ma mère a-t-elle eu le temps de me confier à des connaissances fuyant vers la zone libre. Sans doute les choses se sont-elles faites dans la hâte et s'agissait-il en réalité d'inconnus puisque arrivés à Chartres, craignant sans doute que je ne sois une charge, ils m'ont abandonnée dans un jardin public. Ce qui ne fait aucun doute, en revanche, c'est que ma mère est morte dans le camp allemand.

Vous imaginez à quel point je suis bouleversée. Non, vous n'imaginez pas, puisque vous avez pu être assez duplice pour abandonner une femme enceinte de vos œuvres, la rappeler auprès de vous deux ans plus tard et, n'ayant pas de ses nouvelles, ne pas remuer ciel et terre pour les retrouver, elle et son enfant. Si vous l'aviez fait, vous auriez pu éviter cela, mon abandon et sa mort. Oui, si vous aviez vraiment voulu, vous nous auriez retrouvées, ma mère et moi-même. Au lieu de quoi, vous avez « attendu » en zone libre.

Vous auriez également su qu'en 1938, votre sœur Varvara avait appris votre conduite scandaleuse et qu'elle avait fait parvenir à ma mère un paquet contenant des vêtements. Parmi ces vêtements, il y avait une robe en soie couleur lilas, à laquelle Norah a dû tenir plus que tout puisqu'elle l'a glissée dans le petit sac à dos avec les lettres et un papier sur lequel figuraient mon nom, Maya Wilter, et ma date de naissance, avant de me confier à des inconnus. Par un hasard atroce ou miraculeux, je ne sais, cette robe, dans sa folie, ma pauvre mère, Angèle, l'a offerte à Gisèle. « Sa » robe de grossesse. Mon Dieu, tout se brouille. Je n'ai plus la force de continuer. Mais je veux aller au bout de ce terrible écheveau dont vous êtes l'artisan diabolique. Monsieur Gounilev, cette robe est celle que vous m'avez fait porter pour jouer Macha. J'ai porté sur scène la robe de grossesse de ma véritable mère. Voilà pourquoi votre sœur avait été si troublée lorsque vous avez insisté pour que la robe de Macha soit confectionnée dans ce tissu. Angèle l'avait trop retouchée pour qu'elle puisse formellement la reconnaître. Mais votre sœur a suffisamment d'expérience pour savoir que ce tissu, elle l'avait eu un jour entre les mains.

Vous vous êtes joué de tous, de toutes, de la vie, de l'histoire. Je ne peux croire qu'il ne s'agit là que d'enchaînements de hasards. Je vous vois aujourd'hui comme le maître démoniaque d'un jeu terrifiant dont vous avez tiré les ficelles.

Depuis hier, vous avez changé de visage. Vous n'êtes plus l'homme que j'ai failli aimer. Vous êtes mon père. Et ce père aujourd'hui, je le hais de toute mon âme.

Amalia.

PS: J'ai aussi appris que mon vrai nom était Maya et non Malia, puisque je suis russe de père et de mère, et non italienne.

Nicolas Gounilev à Maya Gounileva

22 janvier 1959

Maya, ma fille, je suis anéanti. Pardon, pardon. Je respecterai ton silence. Je voudrais être englouti. Pardon.

Celui qui n'ose encore signer

Ton père

Nicolas Gounilev à Maya Gounileva

26 janvier 1960,

Maya,

J'ai respecté ton silence, compris, ô combien, ton retrait, souffert en tant que père de la terrible méprise dont nous avons été victimes et dont je suis en grande partie responsable. Cette tragédie que nous avons été plusieurs à vivre à la génération précédente, ta véritable mère, Natalia, tes parents adoptifs et, pardonne-moi de me citer, moi-même, tu n'aurais pas dû avoir à la vivre, toi. Toi qui n'avais rien demandé et qui, depuis ta naissance, n'as su que donner, par l'intelligence du cœur qui est la tienne, qu'amour et compréhension à tous ces êtres qui, sans le vouloir, t'ont fait tant de mal. Aujourd'hui, au nom de la souffrance qui revient comme le châtiment à un père indigne, j'ai l'immense, présomptueux espoir que tu me pardonnes un jour,

Ton père,

Nicolas Gounilev

Nicolas Gounilev à Maya Gounileva

23 février 1961

Chère Maya,

Bien sûr tu n'as jamais répondu à ma lettre de l'an passé. Peut-être même ne l'as-tu jamais reçue, puisqu'elle m'est revenue avec la mention « N'habite plus à l'adresse indiquée », mais cependant elle avait été ouverte...? J'envoie cette lettre à l'attention de ton amie Gisèle qui, comme tu le sais, a coupé toute relation avec moi, mais dont j'espère qu'elle te la remettra. Quoi qu'il en soit, je comprends. Je comprends et je souffre. Combien de temps faudra-t-il pour que tes sentiments, apaisés, trouvent le chemin de ceux qui sont les miens aujourd'hui, de père à fille? Je souffre, Maya, même si je sais que ma souffrance de père ne peut en aucun cas être un argument pour te demander de me revenir comme ma fille. Crois surtout que j'ai bien conscience de la blessure profonde qui doit être la tienne et que je saurai attendre le jour béni où je pourrai poser sur ton front le plus tendre des baisers de père.

En attendant, reçois tous mes vœux pour ton anniversaire, je sais que c'est en ce mois, mais j'ignore le jour exact,

Ton père,

Nicolas

Nicolas Gounilev à Maya Gounileva,

18 février 1962

Bon anniversaire, Maya, ma chère fille! 24 ans! Tu as disparu, tu as disparu depuis deux interminables années et il y a vingt-quatre ans, lorsque tu es née, c'est moi qui avais disparu, et cela pour deux années. Puis-je espérer que ce chiffre 2 sera notre signe secret et que, tout comme j'ai tenté de te retrouver lorsque tu avais 2 ans, tu tenteras aujourd'hui de me revenir? Car je suis revenu, Maya, contrairement à ce que tu crois peut-être, j'ai tout fait pour vous retrouver, toi et ta maman. Les événements terribles de la guerre ont décidé autrement de nos vies. Mais je suis revenu et depuis, je n'ai cessé de vouloir retrouver ma fille. Où es-tu, Maya? Où es-tu? Je t'en prie, réponds-moi.

Ton père qui t'aime

*

Maya à Nicolas Tupalov
*118, rue de Tolbiac, Paris XIIIe*
22 avril 1973
Cher Monsieur,

Je ne sais comment vous appeler en commençant cette lettre. Je ne sais même pas si la personne à laquelle je l'adresse soit bien vous, mon père. J'ai fait des recherches, par la poste, il n'y a plus aucun Nicolas Gounilev, ni à Paris, ni en région parisienne, ni en France. J'en ai déduit que soit Nicolas Gounilev est décédé ou a, comme moi, émigré, soit qu'il est bien ce Nicolas Tupalov à qui j'adresse cette lettre. Je me suis souvenue qu'autrefois, dans un temps lointain, Nicolas Gounilev m'avait dit que sa mère était née Tupalov. Quoi qu'il en soit, cette lettre est une bouteille à la mer. Je suis venue en Europe pour cela, retrouver mon père. Ce titre qu'il m'aura fallu quinze ans pour accepter de vous rendre. Ces quinze années passées loin, très loin de France, me le permettent enfin. J'en suis heureuse et effrayée. C'est long, quinze ans. Et tout à coup, la vie presse. J'ai fait la mienne en Argentine. J'ai deux merveilleuses petites filles de 10 et 8 ans qui ne parlent ni le russe ni l'italien, mais l'espagnol et le français. Mon mari est médecin. C'est curieux, j'ai cru comprendre que ma vraie mère, celle qui s'appelait Norah et que vous avez aimée, était destinée à épouser un médecin avant de vous rencontrer. Aujourd'hui, je ne doute plus que vous l'ayez aimée. Je ne sais pas pourquoi, je ne sais pas ce que fait le temps aux choses. Je n'en doute plus, et j'ai fini avec le temps par attribuer votre lâcheté d'alors à votre jeunesse. Je crois même que c'est grâce à cette puissante intuition, d'être un enfant de l'amour, que j'ai pu aussi me reconstruire à travers la tourmente de mes sentiments et les terribles accidents de nos vies. Pour cela il m'aura fallu, c'est vrai, traverser un océan et oublier beaucoup de choses. Mais vous voyez, je n'ai pas oublié le français. C'est la langue que j'aime écrire. Et en russe, je sais encore dire « je t'aime ». Mon père, je vous aime, je voudrais vous le dire aujourd'hui avec des mots de chair, des mots de fille.

Je vais venir en France le mois prochain. J'habiterai chez mon amie Gisèle dont j'inscris l'adresse au bas de cette lettre.

J'espère que vous aurez cette lettre, j'espère que vous me répondrez et que votre réponse me donnera les moyens de nous rejoindre. Vous, Nicolas Gounilev Tupalov, mon père aujourd'hui retrouvé. Dans l'immense espoir de vous voir,

Maya

Maya Cordero Goya

Chez Mme Gisèle Fautrier

32, rue de Léningrad

Paris VIIIe

Maya à Placido Cordero Goya
21 mai 1973
Mon Placido,

Mon cœur saigne au-delà de tout ce que je saurais exprimer. Ainsi donc, je n'aurai pas retrouvé mon père. Il est mort en février, le croiras-tu, le 19, le jour de mes 35 ans. Ma lettre m'est revenue ce matin chez Gisèle. Dessus, il y a une mention manuscrite «destinataire décédé». Je suis allée sur place, c'est la concierge qui l'a écrite. Elle m'a parlé de lui. Elle m'a tout dit, tout confirmé. Nicolas Tupalov s'appelait Tupalov Gounilev, il vivait dans l'immeuble depuis dix ans. C'est un petit immeuble, il y a six locataires, elle connaissait bien mon père. Il lui parlait de moi tout le temps, de sa fille dont il n'avait plus de nouvelles et qu'il espérait tant revoir. Elle m'a dit: «C'était un homme meurtri, on sentait qu'il avait vécu des choses terribles.» Elle n'a jamais voulu le questionner: «Beaucoup de gens avaient vécu des choses affreuses à cause de la guerre, lui, on devinait que c'était aussi la guerre qui lui avait causé son lot de souffrances.» Quand elle l'avait suggéré un jour, il n'avait pas démenti. C'était un homme généreux, compatissant, qui comprenait la souffrance humaine. Il était sûr qu'il retrouverait sa fille, que la vie la lui ramènerait. Je pleure en écrivant cela. Il disait à la concierge: «Il faut toujours garder espoir, la vie est généreuse.» Placido, la vie n'a pas été généreuse avec lui! Ni avec moi!

Elle nous a retirés l'un à l'autre au moment où nous pouvions enfin nous retrouver! Je suis seule, seule dans ce continent qui n'est plus le mien, seule à pleurer et tes bras me manquent tant!

Maya

*

Sainte-Geneviève-des-Bois, juillet 1974.

Il a plu violemment toute la nuit et l'orage a couché les blés par grandes plaques, de part et d'autre de la route. Maya et Placido ont préféré marcher depuis la gare. Les deux fillettes sont joyeuses, elles courent sur les talus, ramassent des brassées de camomille sauvage et de coquelicots.

Une fois arrivés au cimetière, l'aînée s'est calmée d'un coup, elle a brusquement pris la main de sa mère, tandis que la petite continuait à sautiller en tous sens.

Posté dans sa guérite, le portier sollicité a répondu par un grognement accompagné d'une moue peu aimable et a tendu un vague plan mal photocopié, parsemé de numéros inintelligibles. Maya et Placido ont pris l'allée centrale et se sont enfoncés à pas lents dans la ville morte.

La petite Félicia s'est remise à courir, jouant à disparaître et à réapparaître derrière les ifs noirs. L'aînée, Annette, serrait plus fort la main de sa mère. La petite s'amusait maintenant à sauter de tombe en tombe et à surgir comme un diable de sa boîte de derrière un caveau ou au détour d'un croisement. Maya était tendue.

– Elle est exaspérante…

La sentant anxieuse, Placido a pris sa femme par l'épaule et l'a serrée contre lui.

– Laisse-la…

Annette était grave, réglant son pas de petite fille sur celui de ses parents.

Félicia avait de nouveau disparu. Ils marchaient le long des allées comme on marche dans une ville étrangère, dont on ne parle pas la langue. D'une intersection à l'autre, ils consultaient un plan sur lequel aucun événement, monument, musée, église, fleuve, ne permettait de se repérer, autre que des numéros illisibles. L'urbanisme de ce lieu était désespérément géométrique et inanimé.

Soudain, au détour d'une allée, alors que Maya s'inquiétait vaguement de ne plus entendre les cris joyeux de Félicia, ils s'arrêtèrent, interdits.

La petite était là, à quelques pas, absolument immobile. Elle tenait encore à la main une pivoine en plastique rose qu'elle avait chipée sur une tombe. Un rayon de soleil, échappé d'un lourd nuage d'orage couleur ardoise, tombait sur l'enfant, donnant une grâce singulière à la scène.

Maya s'approcha doucement d'elle et s'agenouilla pour être à sa hauteur.

La petite ne tourna même pas la tête, elle restait silencieuse, scrutant intensément trois inscriptions dorées sur une stèle, en alphabet cyrillique.

Maya leva les yeux. Sur le côté droit du caveau un grand cyprès noir, sur la gauche un if vert sombre aux pousses jaune vif, donnaient à ce lieu-là une solennité singulière.

À mi-voix, bouleversée, elle lut les trois noms :

Лисавета Павлова Гоунилев (Lisaveta Pavlova Gounilev) 1915-1920

Пелагие Левна Гоунилев (Pélagie Levna Gounilev) 1880-1970

Ницолас Павловитч Гоунилев (Nicolas Pavlovitch Gounilev) 1910-1973

Maya se tourna vers sa fille, interdite. Félicia avait 6 ans à peine, ne savait pas lire.

Alors, tout à coup, la petite leva vers sa mère des yeux clairs, brillants d'émerveillement enfantin. Et pointant son doigt vers les inscriptions :

– Maman, tu as vu ?... On dirait des petits ponts... Tu as vu ? Les lettres en doré... Elles sont drôles... C'est comme des petits ponts...

Maya prit Félicia dans ses bras et enfouit son visage dans le cou de la petite fille.

Elles restèrent ainsi un long moment, la petite

avait posé sa main potelée sur la tête de sa mère, comme si elle avait compris, comme si elle savait.

Le nuage d'orage s'était dissipé. Le soleil apparut d'un coup dans tout son éclat, frappant les marbres sombres encore humides.

Brusquement, la petite se dégagea et lança d'un ton joyeux à sa mère :

– Allez, attrape-moi !

Scripto

Découvrez d'autres romans poignants de Paule du Bouchet...

À LA VIE, À LA MORT

de Paule du Bouchet

À travers sept nouvelles sur des guerres de notre histoire proche, un fil : la vie qui continue, l'amour plus fort que la guerre, la mémoire qui ne s'éteint jamais.

LA CROIX : « Inspirées de la Première et de la Seconde Guerre mondiale, ces nouvelles sont tout en retenue, en subtilités. Un grand plaisir de lecture. »

LIRE : « D'une économie exemplaire, l'écriture de Paule du Bouchet va droit au plus juste, au plus profond des cœurs. »

CHANTE, LUNA

de Paule du Bouchet

Varsovie, 1939. Luna, jeune Juive d'origine polonaise, n'a qu'une passion : la musique et le chant. Sa voix est merveilleuse. Elle a quatorze ans lorsque les troupes allemandes entrent en Pologne. Très vite, la population juive est enfermée dans le ghetto. Commencent alors la persécution, la misère, la peur, la mort. Luna participe à la résistance.

JE BOUQUINE : « Une histoire bouleversante, à l'écriture vibrante et poétique. »

LE MONDE DE L'ÉDUCATION : « On pourrait croire le sujet éculé et pourtant l'histoire sonne juste et transforme cet enfer en un chemin d'espoir. (...) C'est l'histoire d'une adolescente qui ne s'en sort que parce qu'autour d'elle on a cru en elle et en sa force. (...) Une jolie leçon de vie ! »

MON AMIE, SOPHIE SCHOLL

de Paule
du Bouchet

Elle, elle n'a rien fait. Ou si peu.
Elle aurait bien voulu. Être courageuse,
engagée, résistante, comme son amie, Sophie.
Mais Élisa ne s'en sent pas le cran.
Alors, elle écrit pour avoir moins peur.
En 1941, à Munich, l'étau se resserre autour
des opposants au régime.

HISTORIA : « Sensible mais sans mièvrerie, poignant mais sans trémolos. À lire absolument. »

JE BOUQUINE : « Une écriture émouvante, qui vous donnera l'impression de marcher aux côtés de Sophie. »

Loi n° 49-956 du 16 juillet 1949
sur les publications destinées à la jeunesse

PAO : Françoise Pham
Imprimé en Italie par L.E.G.O. Spa - Lavis (TN)
Dépôt légal : avril 2013
N° d'édition : 250341
ISBN : 978-2-07-065248-8